O PAI DAS FAKE NEWS

O pai das fake news

Copyright © 2023 by Paulo Nascimento

1ª edição: Abril 2023

Direitos reservados desta edição: CDG Edições e Publicações

O conteúdo desta obra é de total responsabilidade do autor e não reflete necessariamente a opinião da editora.

Autor:
Paulo Nascimento

Preparação de texto:
Larissa Robbi Ribeiro

Revisão:
Gabrielle Carvalho
Debora Capella

Projeto gráfico e capa:
Jéssica Wendy

DADOS INTERNACIONAIS DE CATALOGAÇÃO NA PUBLICAÇÃO (CIP)

Nascimento, Paulo
  O pai das fake news / Paulo Nascimento. — Porto Alegre : Citadel, 2023.

  208 p.

  ISBN: 978-65-5047-225-2

  1. Literatura brasileira I. Título II. Gercke, Karina

23-1553   CDD B869.3

Angélica Ilacqua - Bibliotecária - CRB-8/7057

Produção editorial e distribuição:

contato@citadel.com.br
www.citadel.com.br

PAULO NASCIMENTO

O PAI DAS FAKE NEWS

Alguns o chamam de estrategista, outros de criminoso. **QUEM ELE É?**

LUCENS
EDITORIAL

2023

SUMÁRIO

PREFÁCIO — 11

INTRODUÇÃO — 13

CAPÍTULO 1 | PAÍS QUENTE — 13

CAPÍTULO 2 | O PRIMEIRO ENCONTRO — 18

CAPÍTULO 3 | MAU COMEÇO... — 26

CAPÍTULO 4 | PÓS-VERDADE — 34

CAPÍTULO 5 | ELES DE NOVO... — 38

CAPÍTULO 6 | CONHECENDO AS FERAS — 43

CAPÍTULO 7 | E SURGIU LARA — 49

CAPÍTULO 8 | MONTANDO UMA EQUIPE — 54

CAPÍTULO 9 | O ALÍVIO DE UMA CONVERSA INTELIGENTE — 60

CAPÍTULO 10 | A VERDADEIRA FACE — 65

CAPÍTULO 11 | NÃO CONSIGO LEMBRAR NOMES DE VINHOS... — 71

CAPÍTULO 12 | 1% — 78

CAPÍTULO 13 | DANDO AS CARTAS — 85

CAPÍTULO 14 | O QUE VOCÊ PENSA QUANDO ACORDA? — 91

CAPÍTULO 15 | É PRECISO TER FIRMEZA PARA ACORDAR
E CONTINUAR — 97

CAPÍTULO 16 | O CANDIDATO: O VERDADEIRO PROBLEMA — 103

CAPÍTULO 17 | O NEGACIONISMO — 108

CAPÍTULO 18 | EM NOME DELE — 115

CAPÍTULO 19 | DESCOBRINDO UMA DAS CAMADAS INVISÍVEIS 124

CAPÍTULO 20 | UM MUNDO PRÓPRIO 129

CAPÍTULO 21 | A SURPRESA 137

CAPÍTULO 22 | UM NÍVEL ABAIXO 143

CAPÍTULO 23 | UM PROBLEMA PARA CADA TIPO DE SOLUÇÃO 149

CAPÍTULO 24 | EM NOME DA PÓS-VERDADE 156

CAPÍTULO 25 | O DESESPERO DE LARA 162

CAPÍTULO 26 | POBRE DESCARTES 171

CAPÍTULO 27 | VIRANDO DO AVESSO 177

CAPÍTULO 28 | TOCANDO A CAMPANHA EM FRENTE 183

CAPÍTULO 29 | O "INCIDENTE" 189

CAPÍTULO 30 | A DÚVIDA SERÁ ETERNA 195

EPÍLOGO 199

FONTES DE PESQUISA 201

PREFÁCIO

O QUE PODE SER VERDADE OU NÃO

Se você espera uma resposta objetiva sobre minha relação com Benny T. S. e que essa história seja narrada aqui, esqueça. Sou assumidamente um mentiroso profissional. Não no sentido de fake news, mas no sentido de criar ou fundir realidades.

O contador de histórias é uma esponja e, assim, assumo abertamente que minhas antenas captam tudo que está no ar, mas, para não o decepcionar, afirmo que essas "mentiras" profissionais a que me refiro vêm todas recheadas de verdades traduzidas de alguma forma. Se você quer saber se me sentei com *Benny* e ouvi sua história, o que posso dizer é: quem não daria tudo por uma boa história, mesmo que tenha que mudar de nome, país, universo? Quase tudo é justificável por uma boa história que mereça ser contada. O que é real ou não nesse momento é o que menos importa, afinal, tudo é factível, tudo é verdade quando não se duvida de que seja possível.

Dizem que fui visto sentado em um cafeteria em Washington conversando com um *estranho*, mas isso não quer dizer nada. Washington não é uma das minhas cidades preferidas, mas gosto das cafeterias. Disseram que foi na elegante Café Du Parc, mas também poderia ser uma Starbucks. Enfim, nada conclusivo, por isso não deve ser levado em consideração. E as fontes? Bem, não sou jornalista nem documentarista, sou um criador ficcional, então não preciso mesmo revelar fontes. Quem acreditaria nas fontes de um escritor ficcional? Alguém que se autodeclara "mentiroso profissional"? Acho ótimo que seja assim porque então fico livre para contar esta história. Não houve fotos, registro nenhum, da minha pessoa conversando com o *estranho* na cafeteria (seria uma cafeteria?) de Washington onde supostamente ocorreu essa história, então... duvide sempre, é seu direito, mas a história está aí. Ponto. Já falei demais.

– Paulo Nascimento

INTRODUÇÃO

A ignorância se espalha infinitamente mais rápido que qualquer vírus, mas para que ela se espalhe é preciso haver inteligência por trás, afinal, a ignorância não anda sozinha. Aí entram pessoas como eu no processo, falando sobre as chamadas fake news por quem despreza a arte de criar novas realidades.

As pessoas buscam pós-verdades muito mais do que verdades.

Há um prazer nessa busca e na disseminação de fake news. Mesmo com índices que chegam a 98% de certeza de que não são verdades, quem se importa? As pessoas querem ser donas da "sua própria verdade", aquela que enviamos para elas e que lhes dá a sensação de serem únicas, mesmo sendo claramente mentiras.

Goebbels provou isso cientificamente na Alemanha do Terceiro Reich, e a partir daí foi só replicar e aprimorar o que ele estudou e praticou. A fonte que cito é péssima, mas não posso ser hipócrita. Ele foi o precursor de tudo. Qualquer comparação é inevitável.

Decidi escrever este livro não como uma autobiografia – porque não vejo motivo para que minha vida tenha algum interesse para alguém –, mas para registrar vitórias como as que consegui nos Estados Unidos e no Reino Unido e principalmente em alguns países improváveis, com candidatos improváveis.

Esse foi o caso de Vera Cruz, um país gigante ao sul do Equador, com uma população igualmente gigante e com particularidades difíceis de explicar em um livro ou em uma vida, eu diria.

Os habitantes de Vera Cruz falam uma língua pouco usada no resto do mundo, são aparentemente alegres, solícitos e muitas vezes não se levam a sério. São diferentes dos habitantes da América, da Europa – apesar de muitos acreditarem que são herdeiros de linhagens estrangeiras... São diferentes de quase tudo que já vivi, talvez porque sejam uma miscigenação de tudo e não saibam disso. Por si só, isso já seria maravilhoso, mas existe um sistema por trás, algo invisível e sedimentado no país, que faz com que Vera Cruz não consiga avançar, não consiga explorar seus imensos recursos naturais e humanos. Existe um sistema de um tipo que destrói tudo. Os habitantes de Vera Cruz trocam de governantes, de promessas, de regime, mas o pobre continua sendo pobre, e o rico continua cada vez mais rico. Eu, particularmente, me ative a prestar atenção nos dados que eu poderia usar na minha estratégia, mas nem de longe tentei entender essa ilha dentro de um continente, sei lá como defino melhor essa nação. Tenho pena desse povo, mas ao mesmo tempo vejo uma parcela considerável dele se deixando ser enganada, clamando por mentiras, muito,

muito além do compreensível, até para mim que vivo disso. Eu faço parte da pós-verdade.

Sobre a história que conto aqui, recebi inúmeros tipos de censura por parte de todos a quem relatei que escreveria este livro e tive que fazer concessões. Muitas delas.

Uma das concessões foi de que esta história fosse considerada uma ficção. Em função disso, os nomes reais estão identificados por apelidos ou codinomes. (Se eu não concordasse com isso, você não estaria lendo este livro.)

Acho ridículo, foi uma censura, acho uma merda tudo isso, mas quem sou eu para enfrentar o sistema de um país? No meu entender, contar o que fiz vale qualquer esforço.

Você pode se perguntar: "Tudo isso é real ou é mentira?". Entendo sua dúvida, mas, se você não ler este livro, não terá a possiblidade de ter, ao menos, uma opinião própria ao final da leitura. Seu medo da pós-verdade terá aniquilado sua possiblidade de ter acesso à verdade. Ao ler, você decidirá se acredita em mim ou não. De minha parte, não afirmo nada.

– Benny T. S.

CAPÍTULO 1

PAÍS QUENTE

Não gosto de países quentes. Nos Estados Unidos, as estações são definidas, e quando está quente está quente, mas aqui é diferente. É um quente que pega na roupa. Climatologia não é minha área, mas sofro por causa dela. Na verdade, espero não me arrepender de estar chegando neste aeroporto. Minha motivação é o tamanho do desafio. Não que eu tenha tido alguma facilidade nos últimos anos, mas sempre fui movido pelo desafio e pelo dinheiro que isso representa. Não posso me queixar das duas coisas. Tenho tido talento para isso.

Os fatos narrados aqui aconteceram em 2018, mas quero que você, leitor, tenha a sensação de estar presenciando o momento como eu o presenciei. Se você é de Vera Cruz, provavelmente o país deve ter mudado muito desde que isso aconteceu, mas tudo bem, pense naquela época. Serei absolutamente fiel ao que vivi, mesmo que você desconfie de mim ou da minha narrativa, mas isso não é problema meu. Vou contar mesmo assim. Você que trate essa sua desconfiança da maneira que mais lhe parecer conveniente.

Vamos ao que interessa...

Aeroporto de Vera Cruz, o próprio Rapaz (assim vou chamá-lo) que conheci na Virgínia avisou que estaria me esperando. Ele não precisava fazer isso. Se fosse um motorista, eu teria, pelo menos, um tempo para organizar as coisas, mas tudo bem, vamos ao mundo de Vera Cruz.

– É uma honra receber o senhor em nosso país.

O Rapaz estava ali, cercado por mais dois ou três parceiros. Eles estavam de terno e tinham um condicionamento de academia, com pinta de assessores, ou o que diabo eles parecessem. Eles agiam com aquela tentativa de dar certa pompa para o momento. Por que eles não conseguem entender que isso é simplesmente um trabalho, e não um evento? Seria tão mais simples, mas, não, vou ter que fingir que acredito naquilo que nem eles próprios acreditam, e aí fica uma encenação chata, improdutiva; mas tudo bem, são as regras de cada lugar.

– Fez boa viagem?

O Rapaz continuava com frases e perguntas "interessantes". Vou tentar me referir o mínimo possível a essa parte da história, sobre "A família", porque fui muito bem aconselhado a agir assim. Para mexer com o perigo tem que valer a pena, e não sou louco nem corajoso o suficiente. Vou tentar ser neutro, bege, inodoro, enfim, vou me referir a eles somente quando não houver outro jeito, porque não pretendo dar palco e luzes a... Bem, voltemos à história: de acordo com a livre e espontânea pressão editorial e legal, tudo que acontecer nesta empreitada será considerado ficção. Lembrem-se disso. *Ficção*. Não venham me perguntar em entrevistas sobre fontes, pesquisas, não existe nada disso. Existem os fatos, mas como eles não valem nada no mundo de hoje, existem convicções e ponto. As minhas convicções. Se acharem que isso não é o suficiente para seguir lendo este livro, sem problema; aí você ficará com a eterna dúvida que já falei – será verdade ou não? Estranho este país, mas eu sabia onde estava me metendo.

– Sim. É o período das viagens para a Rússia. Estou acostumado.

Eu senti que era melhor falar a minha língua um pouco mais devagar ou ir para o idioma nativo de Vera Cruz e exercitar meu talento poliglota (modéstia à parte, perfeito).

– E o Mestre, como está?

O *Mestre*. Eu o chamaria de "gênio". Consegue enganar a tantos e por tanto tempo. Não se porta como alguém do marketing, do mercado, de nada. Está acima de tudo. É um guru. Pode ser um guru para eles, mas para mim foi uma porta que se abriu para ganhar uma boa grana. Tento vê-lo como um homem de negócios, como todos com quem estamos acostumados a tratar. Não nego que tenho até alguma admiração pela sua capacidade de atrair tantos seguidores reais (além dos virtuais).

– Está bem. Genial como sempre.

Eu tinha que dizer algo. Essa foi a bobagem que me veio à cabeça.

O PAI DAS FAKE NEWS

– Hoje nos reunimos aqui e amanhã vamos ao litoral para o senhor conhecer o meu pai.

Eu havia chegado na maior cidade de Vera Cruz, uma metrópole, mas havia outra, mais aprazível pelo clima e com uma paisagem maravilhosa, que passo a chamar aqui de *litoral*. Uma linda cidade que sofreu os desmandos da desorganização social, política e econômica do país e hoje é um lindo cartão-postal, mas de difícil convivência entre as classes sociais que citei antes. Os políticos e cidadãos de Vera Cruz não fizeram o dever da casa, não a valorizaram, não cuidaram do seu povo e acabaram destruindo patrimônios como a cidade do litoral, uma das mais belas do mundo, porém com uma desigualdade social que ainda salta aos olhos.

O candidato morava lá, o que para mim era bom, não precisava me encontrar com ele.

– Falamos sobre isso depois.

– O senhor vai adorar conhecer meu pai.

– Falaremos sobre isso depois.

Ele parece não entender o que eu digo.

– Ter alguém que participou da campanha do presidente Trump para nos orientar é algo em que eu nem consigo acreditar.

Não sei com que cara olhei para ele, mas eu sentia que era real a paixão que ele tinha pelo Trump. Odeio essa minha frieza. Era realmente hora de entrar no jogo. Ali tinha um cliente que iria me pagar muito bem e tinha uma admiração fidedigna pelo meu trabalho. Sou um insensível. A minha próxima fala demonstrou isso.

– Está tudo certo com os valores?

O Rapaz sentiu o baque. Era visível sua decepção com a minha total falta de sensibilidade. Ele mudou o tom de voz.

– Sim, como informamos ao Mestre, os apoiadores já providenciaram tudo.

Confesso que agora era eu que havia ficado magoado com a mudança no tom de voz. Fui o culpado, mas não gostei do jeito frio com que ele me tratou.

– Espero que tenham sido hábeis e profissionais em relação ao trato dos valores dos apoiadores.

O Rapaz me olhou agora com uma indisfarçável ponta de irritação. Não desviei o olhar do "fedelho".

– Digo isso porque vocês já tiveram problemas demais aqui no país com relação a "rastro de dinheiro".

O Rapaz não me respondeu nada. Já estávamos no carro. Ele olhou para frente e demonstrou a personalidade que eu teria que enfrentar nos próximos meses: alguém que não suporta ser contrariado. Era abril de 2018.

Muita água ainda iria passar por baixo de muitas pontes. (Fora as pontes que eles insistiam em queimar a toda hora, um inferno para quem tem que pensar em estratégia.)

Ninguém me disse que seria fácil, mas meu currículo seria usado de vez em quando. Vitórias como Trump e Brexit servem para calar a boca de pessoas mal-educadas. Eu sabia usá-las muito bem.

CAPÍTULO 2

O PRIMEIRO ENCONTRO

Washington conseguia estar mais frio que de costume quando cheguei à Starbucks da 11th Street. Eles marcaram o local do encontro. Entrei pela porta que avança sobre a calçada e funciona exatamente para isolar das baixas temperaturas que insistem em entrar no recinto.

Nada contra, sou até um apreciador da internet e do café da Starbucks, mas, entre as milhares que existem, esta pertence à categoria das que têm apenas três ou quatro mesas, porém lá estavam eles. Terem conseguido uma mesa era sinal de que alguém chegou mais cedo, e certamente não foi o Mestre.

Feita a apresentação, cumprimentei o Rapaz (que parecia bastante nervoso) e, quando fui cumprir o ritual de entrar na fila para pedir meu café, ele se prontificou a fazer meu pedido para mim.

18

– Qual o senhor prefere?

– Um *Tall* Americano com um *shot* a mais e um *plain bagel*, pois estou só com o café da manhã. Com *cream cheese,* por favor.

Lá foi ele cumprir a missão: um café e um pão. Olhei para o Mestre e vi que ele me observava com um "quase riso".

– Não se iluda com essa amabilidade. Eles são perigosos.

O estranho, naquele momento, era o tom invertido dos sentidos. Quando o Mestre disse que "eles são perigosos", não tinha o sentido de um aviso de perigo, mas de orgulho. Orgulho dele, do Mestre, por estar ligado aos "perigosos". O perigo era uma demonstração de poder. Aquele era o início de um enigma para entender o que viria mais para frente.

– Dinheiro não tem nacionalidade, Benny.

Continuou o Mestre, dando sempre o ar de que falou algo importante a qualquer imbecilidade que fosse dita.

– Nem exige inteligência – respondi.

Eu e minha arrogância. Para que dizer aquilo a quem estava me oferecendo, a princípio, uma grana muito boa?

– Inteligência é estar do lado de quem faz a transferência bancária – disse ele no mesmo tom.

– Já eu acho que inteligência é fornecer a conta e receber a transferência.

– Pontos de vista, mas tudo é dinheiro. – Filosofia profunda de alguém considerado Mestre.

O PAI DAS FAKE NEWS

– Mas reconheço que, se dinheiro não tem nacionalidade, a falta dele tem a pessoalidade. Ou seja, sem ele nos fodemos. – Parti para a prática.

O Mestre deu de ombros e agiu como se eu tivesse dito o óbvio (e tinha...).

– O grupo deles é formado por gente... binária, digamos assim.

– Tosca – completei, mas o Mestre ignorou.

– A verdade é que eles representam uma parcela imensa do país que se enxerga neles.

A justificativa do Mestre era como quem adianta a informação de em que mundo eu entrava.

Olhei para o Rapaz, que sorriu para mim na fila do caixa.

Voltei novamente para o Mestre.

– Uma imensa parcela "se enxerga" nos toscos?

O Mestre me encarou e falou pausadamente.

– Não seja preconceituoso, Benny. Isso só vai facilitar o seu trabalho.

– Se isso for realmente verdade, sim. A questão é descobrir o exato percentual desses "toscos" que já se enxergam neles e quantos mais precisaremos cooptar.

O Mestre então explicou que havia uma sociedade reprimida pelo "politicamente correto" que sentia uma imensa vontade de exprimir seus preconceitos, sua visão de mundo, que, logicamente, não envolvia o mundo como se pretende hoje.

– Você me disse que seria uma campanha na América Latina, e não já a reeleição do Trump.

Rimos da piada. A realidade é que tudo se repete, e por isso temos chances de vender o conceito de pós-verdade. Os mesmos preconceituosos reprimidos do Alabama têm almas gêmeas espalhadas pela América Latina, por todos os lugares. Todos esperam um aceno. Um aperto no botão que dispara a "naturalidade" em xingar um gay, diminuir a dignidade de uma mulher ou ser diretamente preconceituoso com uma pessoa por causa da sua cor.

A minha dúvida naquele momento não era essa. Claro que existia a massa de manobra de que precisaríamos, mas o que me incomodava era a sensação de que não fazia muito sentido pagarem o valor que pedi para investir em um candidato baseado apenas no potencial de tosquice e preconceito. Quem estava por trás disso? Quem teria interesse em jogar tanto dinheiro em uma aventura com tão poucas chances, pelo menos aparentemente?

– Pessoas que têm dinheiro pensam como ele, mas jamais tiveram a chance de ter alguém que assumisse o que elas pensam. Se ele ganhar a eleição, elas poderão orientá-lo para o que desejam e assim serem duplamente beneficiados – foi a explanação convincente do Mestre.

– Bem, não tenho por que duvidar de você. Se eles o seguem... Cada um conhece seus súditos, mas eu tenho que lidar com verdades para depois transformá-las em mentiras.

O Mestre sorriu com ironia.

O PAI DAS FAKE NEWS

– Verdades, Benny? O que nós dois temos de verdade? Eu consigo ter meus seguidores sem nunca ter provado nada, apenas os induzindo a pensarem que sei tudo. Você tem essa capacidade de enganar falando vários idiomas sem sotaque e se passando por "local". Somos uma mentira que deu certo. Somos ignorantes como eles, mas mentimos melhor.

– Não sou ignorante.

– Pior. Você faz pose de inteligente, mas é como eu. Somos enganadores, não estrategistas.

Confesso que tive que segurar minha irritação para não dizer tudo que estava pensando naquele momento. O Mestre confirmava ser uma pessoa rasa, com perspectivas rasas e que media os outros com sua régua de vida. Fechei a expressão e pensei nos números. Concentrei-me nos números. Isso poderia apagar este momento de raiva que sentia. De mais a mais, o Mestre não iria para Vera Cruz, então não teria que conviver com ele.

– Não fique chateado, Benny. Somos o que somos: vencedores. Eles nos contratam porque precisam de nós.

– Mas realmente me surpreende terem as chances como as que você diz que eles têm. Uma coisa que se desenvolve com o tempo nesta área é o faro para perceber o submundo.

Era hora de ser profissional e não entrar em rota de desgaste. O Mestre tinha certa razão.

O Mestre baixa o tom e fala quase como se sussurrasse.

– O Garoto lá... – Indicou a fila – é o embaixador, o contato deles com o mundo exterior de Vera Cruz. Sabe por quê?

Esbocei minha incapacidade de entender ou adivinhar.

– Porque fala um pouco de inglês.

Rimos novamente e caímos na velha piada de que "só porque falam inglês parecem mais inteligentes". Era o Mestre me atualizando sobre a visão do seu próprio país, sobre coisas ridículas como essa.

– Tudo como o senhor pediu – disse o Rapaz me entregando o café e o *bagel*.

– Estamos ansiosos para fechar com o senhor e começar a trabalhar.

– Como eu falei quando me contataram, eu tenho compromissos até o final de março, mas abril posso ir até Vera Cruz e já começarmos a trabalhar.

– É o momento do meu pai. O país precisa dele como nunca precisou de um presidente.

O Mestre evitava me olhar diante do ufanismo do Rapaz.

– Essa afirmação é um fato ou um desejo seu?

O Rapaz ficou perturbado com minha pergunta.

– Falo isso porque vamos ter que ter muito claro o que é informação para consumo externo, as mentiras que vamos lançar e o que é informação relevante para trabalharmos.

– O senhor está dizendo que o país não precisa de um presidente como meu pai?

A mágoa se manifestou. Sei bem como é isso. É hora de ser impositivo. Era hora de fazer o Rapaz entender quem mandava no processo ou eu me tornaria um secretário dele.

– Vou ser objetivo com você. O tempo é muito caro para todos nós. A questão não é o quanto o país precisa de alguém como seu pai. Isso é uma opinião sua, da sua família, de seus amigos. O que importa é como vamos fazer para que o país todo pense que precisa dele. As verdades interessam menos à opinião pública do que as mentiras que iremos plantar para despertar as emoções dessa opinião pública. As crenças que nos interessam são as do público-alvo, não as nossas. Quando conseguirmos manipular essas crenças, o jogo terá sido ganhado. Entende a diferença entre sua crença pessoal e a crença da opinião pública?

– Sim...

– Mas se vocês não forem profissionais na maneira de encarar o que vamos fazer, é melhor nem começar. Pós-verdade é uma ciência, não um conjunto de fanáticos que acreditam que são predestinados por Deus.

Ele olhou para o Mestre, e era possível ver o movimento de sua garganta engolindo em seco. O Mestre espertamente não moveu um fio de cabelo, o que aumentou a angústia do Rapaz.

– Eu não...

Pronto. Eu estava a dois passos de não me tornar um secretário.

– Se você não tiver isso claro, é melhor tomarmos este café e você voltar para sua crença. Eu não lido com crença pessoal, lido com crença coletiva formada por mim, formada pela estratégia que eu aplico.

– Não! Pelo amor de Deus. Me desculpe se eu disse algo que magoou o senhor. Na verdade, o que eu queria dizer era que nós precisamos do senhor tanto quanto ou mais do que o país hoje precisa do meu pai, mas juntos vamos mostrar o valor que ele vai representar para nossa nação. Me perdoe mesmo.

Pronto. Eu era o chefe.

– Vocês já têm os dados da minha conta no Panamá. Quando fazem o primeiro depósito?

– Imediatamente. Nossos apoiadores aguardavam só o sinal verde após esta nossa conversa – respondeu, sem firmeza na voz, o Rapaz.

– E qual é o sinal?

Ele visivelmente não entendeu.

– Verde ou vermelho? Após nossa conversa.

Percebi que precisava ter paciência.

– Ele está perguntando se você o aprovou e vai dar o sinal verde para os apoiadores – complementou o Mestre.

– Ah... claro, claro. Perdão pela minha falha, é que vim com esta missão e sei da importância dela, por isso estou um pouco nervoso. Claro, faremos o depósito da parcela inicial e depois as outras na sua conta do Panamá – justificou-se o Rapaz.

– Este depósito nesta conta. Os outros eu informo o país. Não sejam precipitados. Uma das coisas mais difíceis do mundo é apagar o rastro do dinheiro, e nisso sou bom, podem acreditar.

O Rapaz me olhava fixo. Falar em dinheiro e rastro assusta qualquer um, principalmente diante de uma campanha política, mas isso estava no DNA do processo. Se alguém negar, está mentindo.

CAPÍTULO 3

MAU COMEÇO...

A primeira noite começou mal. Após eu ter educadamente recusado jantar com o Rapaz e conhecer seu *staff*, como ele mesmo disse, eu consegui ir para o meu quarto, quarto não, minha suíte, em um belíssimo hotel em uma movimentada Alameda, e pedir meu jantar com uma boa garrafa de vinho argentino. (Eu já me preparava para ter planos para lá futuramente... Nada melhor do que começar pelo vinho.) Conseguia organizar minhas ideias, me preparar para o desafio que se mostrava maior do que me venderam, mas tudo estava perfeito, até que uma leve batida na porta prenunciou que eu teria problemas.

O tempo e a natureza da profissão nos ensinam a sermos cautelosos ao abrir qualquer porta, mas, quando se está em um país cercado por pessoas como as que me cercam, a exigência da cautela é imensamente maior.

– Quem é?

26

Perguntei inicialmente em inglês, depois no idioma local.

– Surpresaaa – respondeu uma voz feminina do lado de fora.

Nunca fui afeito a surpresas. Desde criança, surpresas me deixavam nervoso, mas quando fiquei adulto passei a odiar surpresas. Imediatamente liguei para a recepção do hotel em busca de informações sobre quem poderia estar do outro lado da minha porta.

– Surpresa é surpresa, doutor – respondeu um funcionário do hotel, tentando fazer graça.

– Eu não estou brincando. Quem está no lado de fora da porta do meu quarto? – Eu já estava furioso naquela altura dos acontecimentos.

– Perdão, doutor – respondeu o trêmulo funcionário –, mas foram ordens da coordenação da campanha, eles disseram que era para dar boas-vindas ao senhor e… nosso hotel não permite este tipo de coisa, mas foi um pedido muito especial, e…

Bati o telefone na cara do funcionário e abri a porta com violência. Duas garotas, realmente muito lindas, com roupas que, se não fossem vulgares, seriam igualmente lindas, olharam para mim com a falsidade de uma atriz sem talento. Seus lábios e olhos expressavam um desejo que não convenceria a ninguém.

Fiz um panorama de cima a baixo das duas e lasquei a frase curta:

– Fora daqui.

Bati a porta a tempo de ouvir as duas dizerem:

– A gente vai cobrar tudo, viu, seu viado!

O PAI DAS FAKE NEWS

O segundo dia, primeiro de trabalho, também começou mal. Estava eu com o mau humor acumulado pelo evento da noite passada, tomando café no hotel, quando avistei um sorridente Rapaz vindo na minha direção com dois assessores ou o que quer que fossem aqueles dois.

O Rapaz abriu os braços e falou como um apresentador de programa de auditório da década de 1970:

– Meu bruxo! Dispensou as duas "minas" mais gostosas de Vera Cruz! As números 1 e 2 do melhor plantel da nossa civilização.

Continuei olhando para ele, que sorria, em pé, na minha frente, como se eu fosse participar do espetáculo "B" que ele propunha. Estava ali a "coordenação da campanha" citada pelo funcionário do hotel.

– Acabei tendo que consumir o *produto* dispensado pelo senhor e, juntando com o que eu já tinha pedido no *cardápio,* quase tive uma indigestão, mas o "garoto" aqui não nega de quem é filho.

Ele agora gargalhou. Ecoou na minha mente a frase: "Não nega de quem é filho".

– Até de puta a gente está melhor aqui do que no seu país – concluiu.

Diante da minha total inexpressão, ou algo que representasse minha vontade de sair dali, ele buscou uma justificativa (pelo menos assim pensou).

– Eu estou solteiro.

Sim, e o que isso tem a ver com tudo? O que isso tem a ver com a campanha? Perguntei algo? Lógico que não. *Pense na conta bancá-*

ria do Panamá, pense na conta bancária do Panamá, concentrava-me eu, desesperado para seguir naquele hotel e no meu trabalho.

Olhei para ele e refleti. *Estamos em plena guerra. Venho com minha técnica ajudar essa gente, e eles fingem que não entendem que meu objetivo é o dinheiro deles. Dou meu conhecimento e ganho o dinheiro. Pronto. É isso. Sou seu amigo de infância, por acaso? Respire, respire, respire...*

Dobrei o guardanapo de tecido e coloquei ao lado do suco de laranja. Sinalizei para que ele se sentasse.

Ele estava um tanto desconfiado com minha pausa para pensar em tudo que descrevi há pouco.

– Não sei o que você pensou quando mandou aquelas duas prostitutas ao meu quarto, mas digamos que eu entenda a cultura de vocês, e não nego que convivo com esse tipo de "procedimento" com algumas pessoas próximas que ajudei a eleger, mas não é meu sistema de vida, e você não me agradou em nada ao fazer isso.

– Desculpe, mas... como o senhor mesmo está dizendo, a minha intenção era a melhor e... fiz uma seleção das duas melhores e...

Interrompi a fala enrolada do Rapaz.

– Você já dividiu por dia o valor que seus amigos empresários, apoiadores do seu pai, estão me pagando? Você acha que perdermos tempo discutindo isso agora não é queimar dinheiro?

O Rapaz ficou em silêncio, mas demonstrava o quanto havia ficado irritado com a forma com a qual me dirigi a ele.

O PAI DAS FAKE NEWS

– Então vamos cuidar do que interessa. Não somos colegas. Não somos amigos, somos uma associação de interesses, e isso é tudo. Não tente me agradar. Não precisa fazer isso. Você vai me agradar se seguir minhas orientações. Assim nós agradaremos a todos: seu pai e parte da população deste país que vamos passar a *esclarecer* com nossas mentiras. Vamos agradar aos financiadores de tudo isso. Dando certo, todos ficarão felizes, e eu serei esquecido em semanas – como deve ser, aliás.

O Rapaz se ajeitou na cadeira. Olhou em direção aos dois acompanhantes que estavam em outra mesa, como se eles tivessem ouvido tudo, e procurou ainda dar uma última mínima explicação.

– O senhor tem razão. Isso não vai mais acontecer, mas... sendo o senhor um homem tão próximo do presidente Donald Trump, eu pensei que gostasse de...

– Não. Não gosto. Trabalho para o Trump, mas não sou o Trump.

O Rapaz olhou para os lados como que para deixar claro que haveria uma mudança de assunto. *Finalmente*, pensei eu, mas o dia das más notícias estava apenas começando.

– Então, vamos conhecer meu pai hoje à noite?

Dobrei o guardanapo novamente. Fiz uma pausa, pois senti que o assunto ia complicar.

– Eu enviei para vocês uma imensa proposta de ação na qual detalhei tudo. Estava em inglês, e você lê inglês, então espero que tenha lido o texto.

Ele me olhou esperando a continuação da minha explanação. Estava claro que não tinha lido.

– Se você leu, viu que deixei claro que não vou ter nenhum envolvimento pessoal com seu pai. Ele é um produto para mim. Vou chamá-lo de "Candidato", aquele que temos que vender. Não vou participar de um encontro pessoal. Isso mudaria a linha de trabalho que tenho. Entende?

Já tinha visto várias expressões do Rapaz, mas como essa ainda não. Ele me olhava fixo, e havia um ódio crescente em direção a mim. Eu estava tentando ser didático.

– Quando nós lançamos a notícia de que o Papa apoiava o Trump, por exemplo, o que menos importava era se eu o conhecia pessoalmente, se tinha contato para dar tal notícia.

Ele continuava com a mesma expressão. Continuei no tom mais didático ainda.

– O que importa é que as pessoas acreditaram que o Trump tinha apoio do Papa, porque isso era conveniente para elas, entende? As pessoas tendem a acreditar naquilo que convém para elas, não em fatos verídicos. Fui contratado para criar a "ilusão da verdade", mas para isso existe um árduo trabalho que consiste em criar uma confusão em que as pessoas não saibam mais o que é confiar em alguém. Não sabendo em quem confiar, elas irão confiar na verdade que lhes convier. Nada disso passa por eu conhecer ou conviver com seu pai. Os candidatos são, tecnicamente, em uma eleição, a madeira, e eu sou o escultor. Ou eles são o Pinóquio e eu, o Gepeto.

O PAI DAS FAKE NEWS

– O senhor agiu assim com o presidente Donald Trump?

De novo isso...

– Eu não sei o que você construiu na sua cabeça em relação a mim e ao Trump. Nós somos amigos nas fotos, nas imagens, mas só. Também não somos inimigos. O Trump pode parecer um destemperado, mas tem o perfeito equilíbrio para entender o que pode ser útil para seus objetivos. Eu era útil. Fui útil. Ganhei para isso. Assim tem que ser. Se vocês não entenderem, vamos passar o tempo todo gastando energia com nada. Me permita dizer uma coisa, e por favor não se ofenda, mas é inacreditável a dificuldade que vocês têm de ver as coisas sob a ótica profissional. Passionalidade não vai nos levar a lugar algum. Vamos tratar com milhões de pessoas. Essa "manipulação", como alguns chamam (detesto esse termo), vai nos custar muito esforço. Já me disseram que seu pai não é fácil de ser dirigido, que ele acredita que sua intuição o levará aos caminhos que pretende, mas, se for assim, voltamos à nossa conversa lá em Washington: vocês precisam de mim ou não? Meu currículo é meu cartão de visitas, mas a decisão é de vocês.

Resolvi parar com minha explanação, pois parecia que o Rapaz não respirava havia dois minutos.

Com minha pausa, ele levantou lentamente e proferiu uma frase.

– Vou ler atentamente sua proposta, falar com o Mestre e volto para falar com o senhor.

– Quando?

Precisei fazer essa pergunta, pois eu não tinha a menor intenção de ficar "demitido", esperando eternamente em uma suíte da metrópole de Vera Cruz. Por mais que eu estivesse gostando do hotel.

– Ainda hoje.

Dito isso, ele olhou para os dois assessores, que, a essa altura, já tinham percebido que algo tinha dado errado, e saiu.

Desenrolei o guardanapo, inspirei fundo e fui em direção ao balcão do bufê para me servir de uma melancia. Adoro melancia.

CAPÍTULO 4

PÓS-VERDADE

Assim como a droga só existe porque existe o viciado, a pós-verdade é um vício. Grande parte das pessoas clica em um link sabendo que todas as pistas indicam que é falso, mas o fazem mesmo assim por um sentimento que vem de dentro, um sentimento ainda pouco explicado, mas que já uso em larga escala e venho tendo sucesso por isso.

As pessoas se cuidam contra possíveis vírus que podem destruir seus computadores, mas clicam sem medo em uma notícia com ar de "só você vai ficar sabendo". Quem explica isso? Não quero saber, mas quero que continuem sendo idiotas e repetindo esse gesto mais e mais, pois será meu jeito de ganhar muito.

A pós-verdade já foi considerada a palavra do ano pelo dicionário *Oxford*, que a define como algo em que o apelo à emoção vale mais que a verdade. As notícias falsas na internet poderiam facilmente não existir se as pessoas não fossem o vetor, o fator

34

determinante para que elas existam. Você sabe que não vai receber uma fake news de um jornal tradicional, uma rádio, um canal de TV, mas a questão é que, se eles não estão dizendo o que você gostaria de ouvir, você escolhe acreditar em alguém que diz o que você gostaria de ouvir, mesmo sabendo que é falso. Essa ilusão dá o prazer de uma droga. É como se o mundo fosse como eu gostaria, e não como ele se apresenta. Você quer relação mais lógica e direta com o prazer de uma droga do que essa?

Pois eu, na qualidade do "traficante" dessa substância amada por boa parte da humanidade, passei a me especializar cada vez mais na pureza da droga que fabrico. Não preciso de plantações clandestinas, nem de capangas armados, nem de fundos falsos de aviões para escoar minha droga. Meu produto embarca na rede social e desembarca nos celulares e computadores dos "viciados", e, pasmem, não sou um Pablo Escobar, mas tenho a conta bancária recheada para duas gerações. Esse ouro, esse pó que seduz milhões, é algo que ainda me surpreende diariamente. *Como eles conseguem acreditar nisso, meu Deus?* – me pego pensando a toda hora.

A informação desconhecida atrai a atenção e dá coragem para compartilhar. O ser humano pede para ser enganado. É da sua natureza. Quem assiste a um filme de investigação, tentando adivinhar o final no meio do filme, está fazendo o quê? Pagando ingresso para ser enganado. Mas quem não faz isso?

Os pregadores encontram seu terreno fértil na desesperança e no desespero do povo. Eu uso exatamente essa técnica. Falo o que o povo quer ouvir e acabo com a reputação de quem o povo quer destruir. Criticar é mais fácil do que elogiar, claro.

A informação tem que ter algo de inusitado, um elemento que ligue ao desejo de cada um. Se um candidato promete acabar de vez com a corrupção, chama adversários de corruptos de uma forma grosseira, ataca a reputação de pessoas que estão marcadas como "o mesmo do mesmo", ele incita o povo a segui-lo como seguiam os velhos pregadores. A fé humana é algo muito fácil de ser manipulada. Mas aí você pergunta: *Por que todos não fazem isso, se é tão fácil?* Porque muita gente tem medo da exposição. Ou tem caráter mesmo, vergonha de fazer algo assim. Eu não sinto culpa alguma porque não faço isso para mim; trabalho para pessoas que me pagam para criar algo que elas consigam "engolir" e levar adiante dentro dos seus conceitos muito próprios de moralidade. O caráter de quem me contrata é o valor moral dessa atividade. Eu sou o traficante somente, não o viciado. Com o meu caráter, eu, particularmente, não me contrataria, mas quem o faz sabe muito bem no que está se metendo.

Uma notícia viaja na velocidade da luz, e isso faz com que se tenha a necessidade quase doentia de repassá-la adiante na mesma velocidade. Ela precisaria ser checada, é lógico, mas aos diabos com isso. O que as pessoas querem é que a notícia chegue o mais rápido possível naquele amigo, tio, colega de trabalho. É como se, ao não fazerem isso, estivessem dando a chance de alguém fazer antes e desvalorizar a informação (falsa) que o cidadão teve o "privilégio" de receber. Nesse ritmo, as fake news se propagam de uma maneira como nenhum vírus consegue. Sei que já disse isso, mas acredito ser importante repetir.

CAPÍTULO 5

ELES DE NOVO...

No meio da tarde, recebi uma mensagem do Rapaz. Era para eu descer ao *lobby* do hotel. Pelo tom de voz, eu me imaginei no voo da noite de volta para os EUA.

Ao chegar no *lobby*, o Rapaz estava acompanhado de outro com cara de pouquíssimos amigos, que olhava fixamente para mim. Antes que eu pensasse que era um capanga latino-americano, fui apresentado ao Zangado. Sim, o irmão do Rapaz. Não havia outra definição para o estilo zangado de ser do irmão do Rapaz. Ele tinha um ar assustador, mas ficava claro que forçava as feições de bravo, pois, com certeza, conseguia calar a boca de muita gente com essa técnica. Fiquei ali sabendo que o "especialista" da família em internet era o Zangado.

Ninguém havia falado nada sobre ter um especialista na família, até porque julguei que o especialista era eu.

– Eu trouxe meu irmão porque é ele quem fica mais próximo do meu pai na estratégia da campanha. Ele segue intuições do meu pai, por isso eu precisava que ele ficasse a par do que o senhor me falou hoje de manhã.

– Sobre não querer conhecer seu pai? Esse é um tema tão relevante assim?

Os dois se olharam como se não esperassem que eu saísse com um soco no estômago quando, na verdade, eles é que pensavam em me acuar.

– Sim – continuei –, porque, com tanto a fazer, com um personagem a ser construído, uma eleição a ser ganha, vocês estão há mais de dez horas focados no fato de eu querer ou não conhecer seu pai. Se é assim que vocês veem o jogo, eu afirmo que o jogo será perdido.

O mal-encarado Zangado era a personificação do ódio. Contra mim, é claro. Nessa hora, ou eu partia para cima ou eu levava na cabeça. Fui para cima do Zangado.

– E você, como "especialista", deveria ser o primeiro a não querer perder um segundo. Você está aqui para quê? Vai dizer que sabe mais que eu? Já ganhou o que na sua vida?

O Zangado, que até então usava toda sua energia para me encarar, me amedrontar, finalmente falou:

– O senhor pode ter trabalhado para o Trump, para o Brexit, para o caralho, mas meu pai conheço mais eu.

O Mestre não estava errado quando deixou escapar que os capangas deles não eram mansos e que eu teria problemas.

O PAI DAS FAKE NEWS

– Acho que talvez seja natural um filho conhecer mais o pai do que um estranho que acaba de chegar ao país.

– O que o Zangado está dizendo é que nosso pai é muito afetivo, brincalhão, gosta de conversar com as pessoas olho no olho, é direto. Então essa sua imposição de fazer a campanha toda sem conhecê-lo é algo que vai deixá-lo bastante chateado.

Olhei atentamente para cada um dos dois "meninos".

– Já disse a você, mas vou repetir para o seu irmão. Não vim aqui para fazer amigos. Vim aqui para ganhar uma eleição, assim como ganhei outras. Chamei seu pai de "produto" e repito o que eu disse. Se vocês não têm alcance para entender que sou a pessoa que vai fazer esse "produto" ser vendido, aí o problema é de vocês e do "afetivo e brincalhão" pai de vocês.

Zangado era a explosão à espera do fósforo.

Aí me veio na cabeça como o dinheiro dá liberdade para alguém como eu. Conseguem imaginar nos meus velhos tempos de aperto o tamanho da minha insegurança diante de provocações como daqueles dois ali na minha frente? Que liberdade eu teria para enfrentá-los? Mas minhas contas recheadas em alguns paraísos fiscais me permitiam ser mais arrogante que eles.

– E então? Qual o desfecho? Pego o voo hoje à noite ou amanhã?

Os dois estavam blefando. Eles não teriam coragem de chegar aos apoiadores e dizer que demitiram o estrategista do Trump (pelo menos assim fui vendido). Eram meninos cagados dando uma de homens. Faltava muita estrada para chegarem a uma condição de discutir de igual para igual.

– Nós só queríamos avisá-lo que nosso pai não vai gostar da forma como o senhor age, mas em nenhum momento dissemos que não vamos contar com seu trabalho – rosnou o Zanga. Já estava eu criando um subapelido.

Tudo isso acontecia em pé, no meio do *lobby*. Dei três passos até uma garrafa térmica de café cercada de pequenas xícaras.

Servi-me enquanto olhava para os dois ainda imóveis sobre o piso de mármore do hotel.

Eu imaginava o que se passava em suas cabeças. *Se esse homem for embora, nós estamos fodidos.*

Convicto disso, caminhei até eles. Tomei meu café enquanto olhava para um e para o outro.

Teatralmente, me aproximei do rosto dos dois e falei quase sussurrando:

– Esta é a última vez que isso acontece. Mais uma explicação que eu tenha que dar para vocês sobre o tema de conhecer ou não seu pai, eu estou fora. Volto no primeiro voo para os Estados Unidos.

Os dois se olharam e depois novamente para mim.

O Rapaz mudou o clima da conversa. Olhou para o celular e falou em um tom quase casual, como se já estivéssemos há horas conversando amistosamente.

– Temos uma reunião em... duas horas. Os apoiadores querem saber mais sobre suas ideias e estratégias. Um carro vem buscá-lo às oito.

O PAI DAS FAKE NEWS

Fiz um sinal de concordância enquanto os dois se afastavam, mas Zangado não desgrudou seu olhar de mim. Era claro que ali morava um ser complexo e violento. Uma dubiedade que me mostrava um pouco do universo daquela gente.

CAPÍTULO 6

CONHECENDO AS FERAS

Feitas as apresentações formais, sentei-me na cabeceira de uma grande mesa de reuniões. Depois fiquei sabendo que ali era a sede de um dos apoiadores. Olhei em volta, tentando montar o perfil de cada um, e realmente era um grupo bastante heterogêneo. Alguns com perfil de empresários tradicionais, outros mais debochados e soltos, talvez novos ricos, pois falavam alto e faziam bravatas como se estivessem em um estádio de futebol.

Na verdade, nada de anormal em se tratando de um grupo de apoiadores que têm características muito similares aos que conheço e cujo *modus operandi* sei muito bem como funciona. Eram até mais divertidos que os sisudos que tive que aguentar na campanha do Trump, mas tinha um entre eles que era, digamos assim… exótico ou bizarro. Não sei qual expressão melhor definiria

43

o cidadão. Dono de uma longa cabeleira, um estilo anos 1970, usando um paletó de cores fortes, e o detalhe que mais me chamou atenção: seu apelido era Torre Eiffel. Apenas por curiosidade, tentei descobrir o que o levava a essa alcunha de Torre Eiffel. Achei divertido quando descobri que ele tinha esse codinome em função de ter uma Torre Eiffel na frente de cada uma de suas lojas. Uma imensa rede de lojas.

Ele me mostrou, orgulhosamente, fotos daquela imitação horrorosa de um patrimônio da humanidade. Um assassinato arquitetônico, mas ele inflava o peito para falar sobre a beleza daquela estrutura grotesca.

Em cinco minutos, já deu para perceber o porquê desse mau gosto transformado em marca. O Torre Eiffel era mais que exótico e bizarro. Era um falastrão. Segundo ele, o Mestre já era presidente e, mais que isso, já era rei, imperador, o que pudesse representar um poder perene estava incrustado na figura do pretendente ao poder para o qual todos nós trabalhávamos. O Torre Eiffel não tinha senso, nem de ridículo nem de realidade, mas dizer o que de um homem que virou um sucesso em seus negócios? Senti que boa parte da grana que dormia na minha conta no Panamá tinha vindo dele, então achei até bonito aquele seu corte de cabelo. Enfim, vamos ao que interessa:

– Entre 45% e 50% de tudo que foi apresentado como notícia na eleição do presidente Trump era fake news. Nós atingimos mais de 120 milhões de usuários do Facebook. Produzimos grande parte desse material na Rússia.

O Torre Eiffel, logicamente ele, levantou a mão.

– Mas e como tanta gente clicou nessas notícias?

– É uma técnica. O grau de novidade do tema, o sensacionalismo leva as pessoas a clicarem e compartilharem. Quando lançamos que o Papa Francisco apoiava Trump, o Vaticano demorou uma semana para perceber e desmentir a notícia. Nesse período, milhões de norte-americanos conservadores que tinham alguma objeção ao modo de vida do Trump, que eram pressionados pela família em relação à vida "mulherenga" que ele levava, já tinham o argumento de que precisavam para definir seu voto. O Papa Francisco era o avalista desse voto. E por que o Vaticano demorou uma semana para perceber? Simplesmente porque quem é vítima de fake news não está preparado para ser vítima, e nós que as criamos estamos totalmente preparados para criá-las. É o elemento surpresa. É o caso da vítima de um assalto que está sempre em desvantagem em relação ao assaltante, porque não imagina que o fato irá acontecer.

A essa altura, o Torre Eiffel batia palmas silenciosamente. Olhava para um e para outro saltitando na cadeira. Havia uma felicidade generalizada.

– Mas muita gente ainda tem receio de ser ou não fake news, não? – perguntou um senhor de gravata, que estava sentado próximo à janela.

– Você tem razão, mas para isso precisamos criar um *layout* que elimine essas dúvidas e facilite o compartilhamento. Dar uma fonte é sempre importante. A fonte é falsa, mas só o fato de ter

O PAI DAS FAKE NEWS

uma fonte já é o suficiente para grande parte das pessoas acreditarem que não é fake news. O instituto tal disse que... Falar em instituto sempre funciona. É muito importante também cuidar da escrita, da correção do idioma. Um veículo oficial de notícias jamais colocaria uma notícia com erro ortográfico. É um código para o público entender se é verdadeiro ou falso. Usar o tom sensacionalista, na medida certa, é o fator fundamental para atrair a atenção do público-alvo que chamamos de *persuasíveis*, aqueles que podemos atrair para nosso lado, como irei explicar mais adiante. Também podemos usar uma notícia fora de contexto. Uma notícia verdadeira de oito ou dez anos atrás, devidamente *reenvelopada* e com alguns elementos novos, pode ser um sucesso diante dos *persuasíveis*. Digo e repito: esse processo todo é uma ciência, uma arte, uma estratégia verdadeiramente arrasadora. Sabendo usar, conseguiremos tudo. Confiem.

Era uma primeira explanação, mas era importante agradar aqueles que abriram a conta bancária para abastecer a minha modesta conta no Panamá. Eu sentia um prazer eterno ao olhar o Zangado concentrado, quieto, olhando para mim, mas não ouvindo o que eu falava, disso eu tinha certeza. Como ele iria rebater meu currículo? Como iria rebater aquele grupo de endinheirados saltitando em suas cadeiras? Como ele chegaria para o Torre Eiffel e diria que eu era uma fraude porque não queria conversar com o pai dele? Ele estava ferrado. Eu, consagrado.

– Mas, senhores, temos um longo caminho pela frente e uma busca de tecnologia para nos apoiar.

– Já temos tudo isso – exclamou Zangado, em um ataque repentino que permitiu que se ouvisse sua voz baixa e pouco à vontade.

– Já? Que bom – respondi.

Estrategicamente, eu sabia que afirmar seria melhor que negar. Eu passava o rojão para ele e assistia na arquibancada ao tiroteio que partia dos presentes.

– Claro que não temos, imbecil! Não estamos falando de amadores, mas de alguém que elegeu o Trump! – rosnou o Torre Eiffel.

– Você está me chamando de amador? – retornou o "objetivo" (para ser leve) Zangado.

– Quero que você veja a diferença entre um profissional que trouxemos dos Estados Unidos e a sua turma de garotos. Não estamos investindo nosso dinheiro no seu pai para ficarmos discutindo quem é melhor. Benny é melhor que todos vocês juntos, é lógico. Alguém aqui duvida disso?

Bom. Não preciso dizer que nem eu acreditava que o fogo seria tão cerrado para cima do Zangado.

O Torre Eiffel não tinha filtro mesmo. Atacou na jugular.

– Essa é opinião de vocês também? – mirou o Zangado em direção a todos os presentes.

– Veja bem… Precisamos ser profissionais para alcançarmos nosso objetivo. Isso será bom para você, para seu pai, para nós e para o país.

Essa frase veio de um apoiador com ar de quem já passou por várias cirurgias plásticas para tentar se manter jovem. Simpatizei com ele.

– Isso não se trata de uma disputa de quem é melhor que quem. O trabalho que vocês fizeram até agora foi e continuará sendo importante. Vamos precisar montar equipes digitais, robôs, IDs, CPFs, como vocês dizem, para justificar as mensagens. Enfim, é muita coisa, então não vamos entrar em embates por nada. Vamos somar.

Acreditem: esse meu discurso apaziguador não surtiu efeito algum no Zangado. Ele simplesmente virou as costas e saiu do local. Rapaz olhou para mim, olhou para o grupo e saiu atrás do irmão. Estava claro que o Zangado era possuidor de uma personalidade diferente, para dizer o mínimo.

Rapaz saiu nervoso atrás do irmão. Eu olhei para o grupo com ar de "o que aconteceu?".

– Difícil... difícil... – resumiu o Torre Eiffel na repetição da mesma palavra.

– Como é a relação dele com o Candidato? – arrisquei.

O grupo se olhou em constrangimento, mas coube ao Torre Eiffel concluir.

– É ótima.

Mais um elemento para o cenário nebuloso que vinha pela frente.

CAPÍTULO 7

E SURGIU LARA

Cheguei ao hotel por volta das 22 horas. Foi exaustivo falar com aquela gente toda. Eles faziam perguntas e mais perguntas e, no frigir dos ovos, eu via que o cenário era nebuloso. Chegou a mim a informação de que o Candidato tinha uma veneração pelo Zangado, e o Rapaz era considerado o moderado da turma, o que não significava nada, pois, se elaborar uma estratégia é algo difícil para um candidato com poucas chances como aquele, imaginem tendo que administrar questões familiares!

Nenhum dos apoiadores me deu garantia de que poderiam convencer o Candidato a concentrar sua atenção na estratégia. O Torre Eiffel, no seu estilo sem filtro e sem noção (afinal, quem põe réplicas da Torre Eiffel em suas lojas e acha isso relevante como uma estratégia de marketing não é alguém que mereça o crachá de equilibrado, mas, voltando ao assunto, já que eu queria só o dinheiro do "Torre Eiffel" – não sua amizade, nem sua conta de marketing), fazia o ar de *não dê importância para o Zangado*.

– Eles são um tanto diferentes, às vezes agressivos, não gostam de ser contrariados, mas lembre-se de que quem vai governar é o pai deles.

Logicamente, quando ele se referia ao pai, quase falava que eles, os apoiadores, também iriam governar.

Já vivi muito (sofri muito também) e vi fatos, no mínimo, estranhos, nessas minhas andanças voltadas a criar estratégias de campanhas políticas, mas nesse país o que acontecia era diferente. Havia uma espécie de alegoria em função do lançamento daquele candidato.

Pouco me importava isso, mas talvez tenha sido o motivo que me levou a escrever esta história. Era uma sequência de acontecimentos surreais o tempo todo. Era como se personagens criados por escritores geniais da humanidade tivessem surgido ali, na minha frente, para executar um drama burlesco e eu tinha a oportunidade de traduzi-los para uma história minha, sem pagar direitos autorais; afinal, eles eram assim mesmo, não eram uma criação minha.

Em alguns momentos, eu não sabia se ria ou se tentava entender o lado psicológico daquela gente. Trump nunca se cercou de santos, mas, perto desses seres com que eu me deparava agora, o *entourage* do Trump era formado por coroinhas de uma paróquia católica no interior da Filadélfia. Talvez os coroinhas não tenham sido um bom exemplo em função de tudo que aconteceu com esse segmento e a Igreja Católica, mas tudo bem, isso é tema para outro livro.

Cada vez mais minha decisão de não conhecer o Candidato se justificava. Se no pouco tempo em que eu estava em Vera Cruz já haviam surgido tantos assuntos paralelos ao foco central que seria a estratégia de campanha, imaginem se eu passasse a fazer parte desse círculo fechado que envolve família e amigos dele!

Não sou psicólogo, apesar de mexer com o psicológico de todos, mas nesse caso a distância era a única forma de manter a sanidade mental. A minha sanidade, no caso.

Eu precisava pensar. Eu era pago para pensar, e não para analisar o quanto eles não pensavam.

Eu sentia um clima no país que me dizia que era só calibrar a estratégia, e o impossível aconteceria. Muita similaridade com o que aconteceu com o Trump, mas, assim como nos Estados Unidos, ninguém levava a sério essa possibilidade, e aí morava a chance real. O desacreditado surpreende o *establishment*.

Talvez os apoiadores tenham aberto seus bolsos como uma terapia para mostrar seus valores até então discriminados, mas não para realmente eleger o Candidato. Eles até queriam, mas não acreditavam nisso.

O que mudou após aquela minha primeira explanação é que passaram a ter uma ponta de dúvida sobre talvez haver mesmo uma chance. Era nisso que eu teria que me concentrar agora. Reservar parte das minhas energias para administrar os filhos do Candidato e o restante para ganhar aquela eleição.

Como eu disse, cheguei ao hotel por volta das 22 horas, e ela estava lá, no café ao lado do balcão do *lobby*. Como ela me descobriu? Não avisei que viria para o país, mas ela estava lá e, por mais que nos odiássemos (talvez esse não seja o termo correto), tínhamos assunto para tratar e nos divertíamos falando mal dos sistemas que conhecemos bem. Ela havia sido correspondente em Washington, e lá nos conhecemos.

Eu estava cansado, exausto, mas talvez fosse hora de tomar um bom uísque e conversar com um ser com um cérebro, finalmente.

– Não me pergunte como achei você aqui – disse ela, sorrindo.

– Nem vou tentar, porque aí você vai vir com aquele papo de faro de jornalista, em que só vocês acreditam – respondi amavelmente.

– Juro que nunca imaginei ver você envolvido com essa gente – falou ela em tom que mesclava ironia e ódio.

– Bem, se começarmos assim, aquele "uísque" que eu tinha decidido lhe oferecer ficará suspenso.

– Por favor. Retiro a frase, mas não perco o uísque.

– Que bom que você ainda mantém um pouco da inteligência e do senso de oportunidade que tinha lá em Washington.

– Adoro poder discordar de alguém que respeito. Você é um canalha inteligente. Já disse isso para você e sei o quanto isso infla seu ego. Vamos conversar, espero que você tenha algo surpreendente para me contar.

– Surpreendente é eu estar aqui, no meio dessa gente.

Rimos muito enquanto nos sentávamos junto a uma mesa um tanto afastada. Como eu disse, era bom lembrar que existia inteligência na face da Terra. Dela e minha, logicamente.

CAPÍTULO 8

MONTANDO UMA EQUIPE

O primeiro dia oficial de trabalho obviamente começou com uma reunião. O Rapaz estava lá, alguns técnicos e, para minha falta de sorte, o Torre Eiffel. Pensem em alguém chato, extravagante, cafona e ridículo. Pois esse alguém será no máximo 50% do Torre Eiffel. Ele queria me levar para dar opinião sobre sua rede de lojas. Tive que ser duro para ele entender que meu tempo custava caro e que não tinha interesse em ajudar o marketing (se é que se podia chamar assim) da sua rede. Ele que tratasse isso com os publicitários que tinham a infeliz missão de criar anúncios com a malfadada Torre Eiffel em alguma parte. Já passei por isso, mas hoje minha conta bancária me liberta. *A sua conta bancária vos libertará.* Se não tem na Bíblia, deveria ter.

O Torre não tinha nada de bobo. Ele sabia que, elegendo o Candidato, muitos dos seus problemas desapareceriam, mas não vou entrar nesse tema, pois aí quem vai arrumar um problema sou eu e já tenho muitos segredos nesta história para serem encobertos. Censura ou nada. Esse era meu mantra.

– Estes são os melhores?

Dirigi a pergunta para o Rapaz. Ele levou um susto, pois imaginava um começo de reunião lento, como devia estar sendo o ritmo até então.

– Estes, quem? – lançou ele.

– Tínhamos combinado de começar a trabalhar hoje e, logicamente, você deve ter trazido os melhores profissionais disponíveis, então é meu dever técnico me assegurar disso.

– Ah...

– Sim. São amigos que nos acompanham desde que meu pai decidiu lançar a candidatura.

– Amigos? – perguntei sem muita paciência.

– Sim, amigos, admiradores do meu pai, meus, da minha família, enfim, gente de confiança.

Olhei para todos e sinalizei para o Rapaz para conversarmos fora da sala. Infelizmente o Torre Eiffel foi junto, mas como proibir quem abre a conta bancária a seu favor?

– Sua equipe é composta de amigos? – já falávamos do lado de fora da sala.

– Sim, mas são da área. O Renato tem uma agência digital, o Souza trabalha com isso há anos e...

O PAI DAS FAKE NEWS

Antes que eu argumentasse algo, o Torre Eiffel me puxou para um canto e deu a real situação:

– Eles são assim. Trabalham em bando, em grupo, mas afirmo para você que não existem muitos outros por aí não. O filho Zangado é que fez tudo sozinho até agora e acabou formando essa turma aí nas questões de internet.

O Torre Eiffel podia ser o que era, mas estava me dando o toque final: *Aceita isso que está aí ou cai fora, porque você não vai achar coisa melhor.*

Desde o início do livro, eu falo que não esperava facilidade nessa missão, assim como não espero em nenhuma; afinal, lido com egos, muito dinheiro e uma turma de "especialistas", gente que sabe tudo o tempo todo sendo, na prática, um bando de idiotas.

– Ok. Entendi. Vamos para a reunião.

Comecei com a introdução do tema. Era hora de dar aula básica e ouvir asneiras.

– Qual é o procedimento de vocês na área das fake news?

Lancei de propósito essa pergunta para deixar claro quem mandava no terreno. Eu estava mijando e demarcando minha área para que nenhum daqueles cães se sentisse à vontade para latir mais alto.

– O senhor quer dizer... como lançamos as fake news até agora? – arriscou um elemento após uma eternidade de silêncio.

– Bem. Vamos esquecer como vocês trabalhavam. Vamos combinar de começar do zero, pode ser?

O silêncio era doído para aqueles incultos, mas era o que tinham para o momento.

– Não vou falar agora em conteúdo. Disso eu me encarrego depois. Vamos falar na dinâmica do processo. Vamos trabalhar com *softwares* disparadores, robôs, empresas especializadas externas e internas, e teremos que aprender como fazer o processo, pelo que vejo aqui, desde o início.

Um dos componentes da mesa levantou a mão.

– Temos disparadores aqui. Minha empresa já faz isso. A questão é: que número o senhor está pensando?

– Não vou citar números, mas percentuais.

Todos se olharam após minha pausa dramática.

– Pelo que analisei aqui, na situação de vocês, 90% dos votos que seu, agora nosso, candidato receber deverão vir de notícias falsas, como vocês gostam de dizer.

O Torre Eiffel bateu lentamente com uma mão na outra, demonstrando sua estupefação.

– Mas… isso é impossível… – reagiu o Rapaz.

– Impossível? Garanto a você que é a única chance de fazermos o eleitorado perceber que seu pai é o candidato de que eles precisam. A chamada "hora dele". Isso não acontece do nada. Você acha que parte expressiva da população está vendo seu pai como alternativa? Eles dizem que sim, mas, nas costas de vocês, eles riem, o tratam como um ser exótico, para não dizer termos ofensivos aqui. O que importa é que, na verdade, não pensam em votar nele. O que vai levar a isso é a construção da imagem que faremos, e seu pai não vai ter tempo de construir um currículo diferenciado até a eleição. Ele sempre foi *básico* e assim será. Nós vamos construir fatos que levem as pessoas a acharem que, dentre os males, o menor é votar no seu pai. Dentre as famílias mafiosas de Nova York, o público decidiu simpatizar com os Corleones, assim Mario Puzo nos ensinou que entre os maus há sempre alguém a ser visto como melhor, mesmo que a comparação seja assustadora.

Pela expressão dos ouvintes, cheguei a ficar em dúvida se sabiam de quem eu estava falando, mas isso não importava agora.

– Rapaz, guarde sua opinião pessoal para depois que seu pai for eleito. Agora vamos ouvir o especialista que está custando uma fortuna para todos nós. Certo?

Quem diria que o Torre Eiffel teria mais uma crise de luminosidade naquela hora. Já não o achava tão ridículo assim.

– Voltando a falar sobre a dinâmica do processo para, em outra reunião, falarmos de conteúdo, eu trouxe contatos de empresas de fora que podem nos ajudar, e muito, porque, pelo que me informaram, vocês têm preferência pelo WhatsApp, que é uma ferramenta mais atenta a esse tipo de disparo do que Facebook e Twitter, que usamos na eleição do Trump e no Brexit, mas não vou discutir sobre isso. Usaremos o que for mais adequado.

– Vamos usar as mensagens todas vindas de fora? Quanto vai custar isso? – lascou o Torre Eiffel, preocupado com sua fortuna.

– Vai custar caro, mas esse não é o problema, a questão é que seremos facilmente descobertos se usarmos todos os disparos de fora do país. Isso é um erro básico, então precisaremos ter muitos chips para muitas contas de WhatsApp de habitantes locais. Aí os robôs poderão disparar em média quinze mensagens em trinta segundos.

– Você diz clonar? Para termos os CPFs locais?

A pergunta do mesmo cara que já tinha falado que tinha os disparadores serviu como um aviso de que tenho que estudar mesmo os detalhes. Eu já havia esquecido o nome que se dava para *ID* em Vera Cruz.

– Não. Clonar alguns, mas também seria uma pista muito fácil de ser descoberta. O segredo é fazermos um mix de tudo, não concentrar em algo que seja uma pista fácil.

– Mas para registrar um chip é preciso um CPF? – disse o Rapaz, voltando à ativa após o ataque de raiva contida.

– Sim. Precisaremos de muitos. E eles existem aos montes se vocês forem competentes.

– Gente que tem telefone, mas não tem WhatsApp? – o Rapaz reafirmou a dúvida. – Impossível!

– Não é impossível. É só pensar.

Era uma forma de atrair a atenção do grupo todo para minha *genial* explicação. Todos aguardavam o que eu diria:

– Idosos.

CAPÍTULO 9

O ALÍVIO DE UMA CONVERSA INTELIGENTE

– Você sabia que o cara não passa em um teste psicológico simples? Daqueles de fechar os olhos e levar a mão ao nariz.

São tantas as coisas que acontecem ao mesmo tempo que acabei não voltando ao tema do encontro com minha amiga. Pois, continuávamos nós tomando o uísque.

– Estou falando sério. Não é no sentido figurado – insistiu ela.

Dar respostas para pessoas que pensam nos exige pensar também, e a resposta não é uma simples frase, ela precisa ter significados reais.

– Muitos não passam. – Joguei essa frase mais como efeito do que como esperança de que ela ficasse satisfeita.

– Mas não se candidatam à presidência de um país.

Pronto. Ela cometeu um erro no xadrez que estávamos jogando. Essa frase era como a bola picando para minha raquete jogar no ponto mais inalcançável da quadra.

– Nem você acredita no que acabou de dizer.

Terminei a frase com um riso que era inevitável.

– Podemos citar em ordem alfabética ou você prefere por continentes? Talvez por décadas?

Ela sentiu o golpe, mas não se dava por vencida.

– Quando eu me refiro a "não se candidatam", eu me refiro a algo muito especial, não ao genérico. Esse caso a que me refiro é absolutamente diferente do que conhecemos. Pelo que vejo, você não conhece também o ser na sua intimidade. Não estou falando de visionários com ideias irreais ou doidos que imaginam que conseguirão metas impossíveis. Estou falando de alguém além, fora desse grupo.

Um gole de uísque ajuda a organizar as ideias.

– Você tem razão quando diz que não conheço o ser na sua intimidade ou com quem estou realmente me metendo. Mas sabe por que faço isso? Justamente porque não o conheço. Já consegui montar um perfil baseado nas pessoas que conheci e que são próximas a ele, mas sabe o quanto isso me interessa? Nem um pouco. Para meu trabalho, ele é um sabonete. Uma marca de cerveja ruim que todo mundo prova e detesta, mas eu preciso fazer com que seja vendida. Tenho total noção do meu trabalho, das minhas ferramentas e do material que uso. Se eu fosse julgar o produto que vou vender, só venderia o que gosto, e, infelizmente, esta marca de uísque que tanto amo nunca me chamou para criar uma estratégia para ser vendida no mercado. Aí entra a diferença entre a vida e o sonho. Eu sonharia em fazer uma campanha para esta marca de uísque, mas o que me dá dinheiro para poder pagar esta garrafa que está sobre a mesa é a cerveja ruim, amarga, sem personalidade, que preciso vender. Entende?

– E se essa cerveja que você precisa vender para pagar o nosso uísque aqui fizer mal para a saúde?

– Aí o problema é do órgão que controla a venda de cervejas no país, não meu. Se as pessoas votarem no candidato que estou apresentando é porque dentro delas há uma vontade, talvez até invisível, de votar em alguém como ele. Pelo que sei, se existe uma virtude que não se pode negar que ele tem é a transparência. Ele se mostra como é. Minha função é fazer com que todos saibam como ele é e, mesmo assim, tomem a decisão de votar nele. Se fazem isso, o problema é do órgão que controla a venda de cerveja ruim e que faz mal para a saúde, não meu.

O assunto transcorria nesse clima em que não dá para vacilar por um segundo. No fundo, ter falado para os apoiadores e a equipe do Mestre tinha sido uma barbada perto de dialogar com a Lara. Já tinha dito o nome dela? Acho que não, mas é esse.

Lara era casada com um escritor norte-americano e absolutamente agradável de conviver; em Washington acabamos saindo muitas vezes para beber e falar mal de toda a política norte-americana.

Falar mal de alguém é um esporte que alivia o cérebro, mas a cada nova saída em Washington percebíamos que havíamos chegado a um ponto em que falar mal dos políticos norte-americanos já não nos causava mais efeito muscular cerebral. Aí passamos a falar dos franceses, russos, ingleses, mas os latino-americanos não entraram na lista porque pareciam personagens de roteiros mal-escritos.

Lara sempre foi absolutamente honesta comigo e dizia o quanto me achava um crápula. Eu, por minha vez, nunca me achei um anjo, mas também não um crápula, então tudo era relevado entre nós.

O marido de Lara também carregava esse dom de suportar mentes divergentes como a minha em nome do respeito a opiniões contraditórias. Aprendi muito mais com pessoas que pensavam diferente de mim do que com os que dizem aquilo que quero ouvir. Ah, se essa turma aqui pensasse assim... bem, talvez eu não estivesse aqui. Eles são mais para a Torre Eiffel falsificada do que para a verdadeira.

Minha função agora era manter a sanidade mental dentro daquele ambiente, e Lara seria a boa amiga que me tiraria daquele mundo catastrófico; afinal, não se consegue trabalhar as 24 horas do dia. O problema é que eu sabia que a Lara daqui não era a mesma dos Estados Unidos. Se lá éramos uns intelectuais (pelo menos acreditávamos nisso) sorvendo a vida em copos de uísque e conversas divertidas, cheias de citações históricas e filosóficas, aqui ela era a jornalista e eu, a possível fonte. Tinha que ter a perspicácia suficiente para enfrentar isso o tempo todo. Não bastava dizer *Não vamos mais falar*, porque eu iria sentir falta daquelas nossas conversas, mas havia de ter cuidado. Uma mulher inteligente como ela é um perigo permanente. Nada era dito ao acaso. Eu iria querer conversar muitas vezes ao longo do meu período em Vera Cruz, mas um passo em falso e eu seria a vítima.

– Você não tem medo de ganhar esta eleição?

Me surpreendi com o tom da pergunta dela.

– Tenho... – era o máximo de sinceridade que eu podia ter naquela hora.

CAPÍTULO 10

A VERDADEIRA FACE

O telefone do meu quarto tocou, e eram pouco mais de sete da manhã. Lembro-me de ter colocado meu celular para despertar às oito horas. Quem poderia ser? Tenho o conhecido mau humor dos que despertam antes da hora.

Era uma chamada curta e grossa, e bem grossa, do Rapaz.

Existem momentos na vida em que o tom subjetivo ganha protagonismo em relação ao objetivo. Era hora de vestir qualquer roupa e ver o que me esperava lá embaixo.

Não era nada bom, logicamente, mas a idade, o tempo, a experiência e principalmente a conta bancária lhe dão a liberdade de enfrentar qualquer situação de cabeça erguida.

– O senhor se encontrou com aquela vagabunda ontem à noite?

Um tom acima de qualquer diálogo começava, não com o Rapaz, mas com o Zangado. A dupla estava ali na minha frente, em prontidão como soldados se preparando para um desfile militar.

65

O Rapaz me encarava firme, mas o Zangado era a fúria em pessoa.

Estar em um país alheio nunca é uma boa hora para confrontos sérios, mas ninguém pode escolher o momento em que isso acontece, então vá à luta, racionalizei.

Estava eu havia dois dias no país e já de saco cheio de ficar tentando aparar arestas muito mais do que trabalhando.

Vera Cruz era um país habitado por seres inusitados. Dos mais inteligentes, sutis, agradáveis e cultos aos mais primários, básicos, perversos, representantes legítimos da parte mais vergonhosa da civilização. Olha que não venho de um país que prima pela sutileza...

Pois bem. Vamos aos fatos do momento.

– Não estou entendendo a quem você está se referindo.

Terminei a frase, sentei-me à mesa do café, e eles sentaram comigo.

– Aquela jornalista, esquerdista, vagabunda que você encontrou ontem à noite aqui no hotel para passar nossa estratégia, para falar mal do nosso pai e sabe lá mais o que ganhou em troca disso. Isso é traição.

A frase do Zangado era, como sempre, direta.

Olhei para os dois, o Rapaz continuava calado, e fiz algo que os deixou um tanto desconcertados.

Levantei-me, fui ao bufê e me servi de um enorme pedaço de uma deliciosa melancia.

Eles acompanharam o meu trajeto com o olhar, tentando entender o que eu ia fazer e, de vez em quando, se olhavam em busca de respostas que não existiam.

Voltei, sentei e provei a melancia, fechei os olhos e sorri.

– Se me perguntarem do que mais gosto nesse país, vou dizer que é dessa fruta. Nem sei se é daqui, mas aqui comi as melhores da minha vida. As que chegam nos Estados Unidos são aguadas, sem gosto. Valeu a pena ter vindo aqui só por causa dessas melancias.

Os dois se olharam mais furiosos ainda. Engoli calmamente a minha fatia de melancia.

– O senhor está zoando com a nossa cara?

Não preciso dizer quem falou isso. Dobrei o guardanapo de tecido umas três vezes e comecei.

– Tenho uma relação de trabalho muito forte com a Rússia, que é um país onde espionar é o DNA do sistema. É o oxigênio que respiram. Sei que fui espionado o tempo todo nas vezes em que lá estive, mas nunca, jamais fizeram algum questionamento sobre qualquer coisa que fiz ou com quem conversei, apesar de ter falado com pessoas que sei que os incomodam. Sendo assim, não vão ser vocês que irão me afrontar desse jeito por teorias conspiratórias que são ótimas para usar contra nossos inimigos, não entre nós.

O Zangado tentou reagir, mas o Rapaz segurou seu braço.

– Vocês têm uma oportunidade de ouro para lançar uma "improbabilidade" que é o seu pai e transformá-lo em um presidente. Isso é possível, não pelo que vocês pensam, mas pela imensa quantidade de pessoas neste país que pensam do mesmo modo que vocês. O meu trabalho seria, ouçam bem, *seria* mostrar a todos que isso é possível, mas em nenhum outro lugar eu perdi tanto tempo quanto aqui. Fui contratado para uma ação específica, planejar a eleição do seu pai, não para cuidar de vocês... do seu jeito, digamos assim, *conturbado* de ser. Antes que você ameace mais uma vez reagir, Zangado, eu digo que fique tranquilo. Sou um técnico, um estudioso, mas não milagreiro. Vocês não querem a vitória do pai de vocês. Talvez nem ele queira isso. É duro ganhar uma eleição e ter que mostrar que tem algo a dizer quando durante a vida toda não disse nada. Perder gera pena, ganhar gera necessidade de entregar algo, e quem não tem o que entregar entra em surto. Esse é o cenário que me aparece na frente, então, sem choro nem sofrimento, paramos por aqui. Por mim e por vocês.

Terminei de falar isso e peguei meu celular. Comecei a digitar.

— Eu tive o maior respeito pelo senhor. Fui aos Estados Unidos para acertarmos tudo, mas o senhor chega aqui e não quer conhecer nosso pai, não ouve ninguém e ainda por cima janta com uma jornalista que todos nós sabemos o quanto é comunista. O senhor acha que agiu certo conosco?

— Não. Acho que agi errado quando vi você em Washington e não percebi que estava me metendo em um mundo de amadores. Alguém que fala em *comunista* como algo real em 2018. Por favor, não se ofendam com isso, mas o Mestre me vendeu que vocês eram uma correlação do Trump. Vim com essa intenção. Um desafio. Um novo Trump, na América Latina, mas o que vejo é que vocês querem agradar a vocês mesmos e não têm intenção de ganhar a eleição.

Nesse momento, o Zangado quase saltou em mim. Tive a calma de não alterar um músculo.

– E vamos ganhar esta eleição!

– Só se for através de um golpe, aliás, algo que nunca saiu de moda por aqui, porque atingir o número de pessoas de que vocês precisam está fora de cogitação no cenário caseiro que vocês dominam.

– Caseiro, mas funciona! – devolveu o Zangado.

– Eu falo de 90% de pessoas do país atingidas pelas nossas fake news. Sem isso, vocês não elegem alguém que não tem estrutura, não tem história, que precisa ser vendido como o "melhor dentre os piores".

– O senhor parece odiar nosso pai – reclamou secamente o Rapaz.

– Não, Rapaz. Não posso odiar alguém que não conheço e que gerou uma possibilidade de exercer meu trabalho, mas vamos combinar que vocês não ajudaram em nada na construção da imagem dele.

Os dois ficaram um pouco confusos com a minha sinceridade. E fui sincero mesmo. Era insuportável a forma como eles ampliavam a imagem negativa deles e do próprio pai. *My gosh!* De onde vem isso? Minha intuição dizia para nunca ter passado da Linha do Equador em direção ao sul, mas eu não ouvi minha intuição. Aliás, poucas vezes ouço e sempre me ferro, mas, tudo bem, não era hora de digressões agora.

– Mas em relação a essa jornalista, o senhor não podia ter nos traído e...

– Pronto. Dez e cinquenta da noite – cortei o papo do Rapaz antes que continuasse com o discurso sobre a minha amiga.

– O quê?

Os dois se olharam confusos novamente. Soltaram esse *o quê?* meio perdido. O fato de eu ter simplesmente dito um horário fez com que eles pressentissem algo grave.

Levantei-me, olhei de um para outro, depois para meu celular.

– Consegui para hoje. Sorte. Dez e cinquenta da noite é meu voo para Washington. Com licença.

Saí em direção ao elevador, deixando os dois com a cara que não posso relatar, pois não vi, mas imagino muito bem. Tudo tem limite nesta vida.

CAPÍTULO 11

NÃO CONSIGO LEMBRAR NOMES DE VINHOS...

Eu tinha acabado de sair de uma reunião tensa na Analytica porque as coisas começavam a se complicar enormemente. Eu, que havia confiado em ficar invisível em função de quem estava envolvido (afinal, quando o cachorro grande é culpado, ninguém presta atenção nas pulgas, analisei erroneamente), começava a perceber que não existia invisibilidade.

Ninguém era ingênuo de achar que não despertaríamos suspeitas, mas o cenário, naquele momento, parecia se armar de uma forma mais catastrófica do que imaginávamos.

A estratégia de utilizar experiência em pequenos países, todo o processo de uso da curva de aprendizado antes de entrarmos em

71

O PAI DAS FAKE NEWS

campanhas de visibilidade global como a de Trump e o Brexit, foi absolutamente exitosa. Fizemos tudo certo, e os resultados foram matematicamente corretos a nosso favor. Um leve bombardeio subsequente já era esperado, mas não Hiroshima e Nagasaki juntos, ao mesmo tempo.

O trabalho que fazíamos era absolutamente técnico, mesmo que o resultado seja chamado de fake news, desinformação, o nome que queiram dar, mas era e é ciência. Não apenas vacina ou estudos de bactérias podem levar o nome de ciência. Éramos cientistas da pós-verdade. Se alguém acredita que um refrigerante açucarado pode dar alguma sensação boa a uma pessoa, então tudo é possível. Vendemos as mentiras que as pessoas compram porque querem comprar.

Já falei sobre isso para vocês, mas juro que me surpreendo com a capacidade do ser humano de querer ser enganado.

Os históricos golpes aplicados por vigaristas em velhinhas ingênuas nada têm de ingênuos. As velhinhas queriam, sim, levar vantagem em algum momento, por isso viraram presas fáceis.

Assim é o meu trabalho. Lanço a sacanagem, mas não a faço. Isso pertence ao ser humano que compra. Ele compra porque se identifica, porque é igual ao pensamento escroto que estou vendendo, portanto quem é o escroto? Diga!

Se o que faço não fosse importante, eu não seria tão censurado como normalmente sou. Tenho que fazer mil concessões para poder contar uma história que vivi e, ainda assim, grande parte duvidando que eu próprio sou fake news.

Pois dentro desse contexto, voltava eu, arrasado, cansado, após ter ideia de que nosso negócio estava ruindo e, apesar do tanto de dinheiro que nos deu, eu ficava quase em pânico com a possibilidade de não entrar mais dinheiro. A sensação de que eu teria que viver com o que tinha amealhado até então era algo que me tirava o sono. Certamente, se eu fizesse as contas, me tranquilizaria, mas não, pensava que precisava ganhar mais e mais, e parecia que agora a fonte secava. Quem passou pela miséria sabe do que estou falando. Quem passou fome guarda comida até estragar na geladeira, e não é por desperdício, é por medo. Eu tinha e tenho medo depois de tudo porque passei na vida.

Então, dentro desse contexto (repito), o fato de receber aquela ligação me fez ver de uma forma diferente aquilo que eu deveria, em sã consciência, ignorar.

Eu havia conhecido o Mestre em um jantar de apoiadores da direita norte-americana, uma mistura de republicanos e Clube do Rifle, mas confesso que a sua pessoa não me atraiu em nada.

Parecia um oportunista que havia chegado até ali para faturar algo em cima da sua pretensa aura de pensador. Apresentava-se como alguém que foi morar na Virgínia como se tivesse sido convidado, e não como um imigrante sem qualificação que convenceu o sistema de que tinha alguma.

Ele escolheu o The Inn At Little Washington, restaurante reconhecido por sua sofisticação, mas principalmente por sua adega de quatorze mil garrafas de vinho.

O PAI DAS FAKE NEWS

Esse golpe de impressionar pelo restaurante era manjado e demonstrava o quanto o Mestre era um sujeito raso e básico, mas, como já abri meu coração e contei a vocês sobre o meu pavor de não ter uma fonte de renda possível, fui ao seu encontro.

A temática era que ele tinha algo muito importante para me propor e já se adiantou a dizer que falava em nome de ricaços do seu país, já que eu não acreditaria que seria ele o dono dos dólares.

Ele escolheu o vinho, a que não me opus, pois sabia que dificilmente teria algo entre as quatorze mil garrafas que não fosse digno de bebermos, e assim partimos para os pratos.

Não sou de guardar essas coisas, tanto que não lembro o nome do vinho que tomamos, mas lembro da delícia que foi o *carpaccio of herb crusted baby lamb*.

Depois, encarei uma *chilled maine lobster in mustard vinaigrette* com *horseradish panna cotta*.

Estou entrando nesses frívolos detalhes porque, na verdade, meu pensamento era que eu iria ouvir um monte de bobagens daquele pretenso guru, mas teria ganhado meu tempo comendo aquele carpaccio com crosta de cordeiro e aquela lagosta do Maine com vinagrete de mostarda e *rábano panna cotta*. Não sei traduzir *rábano*, talvez seja "rabanete", algo assim.

Bem, mas o tema é que ao menos meu estômago estaria feliz diante do que viria.

— Existe uma frustração muito grande entre os eleitores do meu país — disse ele após o brinde com o vinho cujo nome não lembro.

– Sério? Que milagre. Só no seu país isso acontece. – Fui de uma ironia que até fiquei envergonhado.

– A classe média, classe dominante, sabe que existe uma força contida que pode explodir a qualquer momento. É só acharmos o *outsider* certo para esse momento.

Ele disse sua frase sem demonstrar incerteza. Gostei do tom.

– É uma tendência – respondi enquanto tomava um gole de vinho.

– Essa insatisfação represada virá de uma forma conjunta em 2018.

– É assim que as coisas mudam. – Mais uma frase longa minha.

– Vocês têm plataformas, métodos para identificar essa insatisfação e começarmos a desenvolver esse *outsider*. Estou certo?

– Temos um método que pode identificar até oito mil dados que impactariam uma campanha virtual. Esse é nosso patrimônio técnico, mas ciência nenhuma faz milagre. O fato de vocês terem percebido essa "frustração" é importante, mas esse sentimento pode estar certo ou não. Pelo que tenho visto, há uma tendência dessa guinada à direita, mas é preciso estudar caso a caso.

– Pois é exatamente desse estudo que precisamos. Como vocês chegam a esses dados? O que é mais importante que eles demonstrem?

– Como chegamos é o nosso processo, nosso segredo, mas o que buscamos são informações de pensamento político, consumo, a religião de cada um, o quanto acreditam nisso, a inconformidade com a situação, mas isso funciona por região, e os resultados são sempre um dado novo. O Facebook tem sido nossa principal fonte de interação.

– Mas lá em Vera Cruz o WhatsApp é mais popular.

– Sim – tive que rir –, é conhecido internacionalmente o deslumbre de vocês por essa plataforma. Sem problemas, o importante é o cruzamento de dados com os oficiais, e aí se monta um perfil.

– Perfeito! – vibrou o Mestre, levantando a taça de vinho.

– Desculpe ser tão direto, mas o país está pondo nas suas mãos um fato tão... tão decisivo para a classe dominante? Digo isso sem ofensa, mas normalmente parte de grandes empresários, gente com muita grana e...

Ele não se abalou. Achei profissional da parte dele. Em vez disso, falou olhando para a textura do vinho. Passando segurança.

– Pode ser. Em um país normal, mas eles veem em mim uma possibilidade de contato com pessoas que eles não têm. Você, por exemplo.

– Obrigado pela deferência, mas de que nível de empresários você está falando? – Era eu sendo curioso de verdade.

– É difícil qualificar. Não são os mais reconhecidos, são gente que ganhou muito dinheiro, que vem de situações duvidosas em termos intelectuais e que tem um desejo enorme de colocar para fora seus... digamos que... sentimentos primitivos.

Um restaurante tão maravilhoso, um vinho igualmente maravilhoso, mas ouvir aquilo me deu um pequeno mal-estar. Alguém abrir tão claramente que eu iria me deparar com uma escória com dinheiro não era algo agradável, mas talvez fosse um aviso de que minha posição na sociedade mundial estava sendo rebaixada.

Se eu confiasse no dinheiro que tenho no banco, não passaria por isso, mas não confio, então falei:

– Ok. Mas quem paga?

– Eles.

– Os "primitivos"?

O Mestre fez um leve movimento afirmativo com a cabeça. Estava selado meu destino pelos próximos anos.

CAPÍTULO 12

1%

Terminava eu de arrumar minha mala quando o telefone tocou. *Até que demorou...*, pensei eu. Era o Mestre.

– Já sei, já sei, os filhos recorreram a você, mas saiba, meu caro, que fiz o que pude. Você não imagina o que é isso aqui. Não imagina.

Terminei o desabafo, e houve um silêncio na linha. Não quis dizer o tradicional "alô". Esperei.

– Você tem toda a razão, Benny.

A frase do Mestre era um enigma. Ele me ligou para dizer que tenho razão. Sei que tenho razão, mas...?

– Vou ser pragmático como sei que você é e como gosta de agir: eu não sou amigo do Candidato. Gosto menos ainda dos filhos dele, mas existe uma chance real de eleger um *outsider*, algo que nunca aconteceu em Vera Cruz.

– Nunca? – perguntei, baseado no que rapidamente tinha lido sobre o tema.

– Como esse, não. Um processo desses envolve muita grana, e nem eu nem você somos pessoas de jogar dinheiro fora. Não tenho como prometer, para que você fique, que os filhos não irão se meter, mas tudo tem um custo nesta porra de vida. Posso lhe garantir que não precisará conviver com o Candidato, e isso já é um grande alívio para você, pode acreditar nisso. Mas peço que avalie se vale a pena jogar esse dinheiro fora.

– Você fala desse jeito porque não está aqui. Aliás, por que você não está aqui, já que é o ídolo deles?

Houve uma longa pausa.

– Eu não posso ir para aí.

Bom. Dito isso, de forma tão lacônica, o que comentar? O que pensar? O Mestre me parecia sincero.

– Você não pode vir e eu não posso ficar, então está tudo resolvido.

– Como você vai voltar para a América e usar seu tempo? Pense em algo que possa fazer você ficar.

– Não ter que encontrar com os filhos do Candidato.

Nova pausa.

– Você sabe que isso é impossível. Esse é seu "imposto" para ficar aí.

– E por que eu pagaria esse imposto?

– Por dinheiro.

– Não acho mais atraente.

– E quanto seria um valor atraente?

Aí chegamos naquela situação em que muitos seres humanos negam a vida toda, mas jamais com a convicção necessária: todo homem tem seu preço, por mais que imagine não ter.

Minha pausa valeu cifrões. Muitos cifrões.

– Você tem autonomia para propor isso?

Ele respondeu na hora.

– Minha autonomia vale o preço da necessidade. Diga o valor e me dê duas horas para você perceber que eu realmente tenho autonomia.

O que você faria no meu lugar? Pode dizer que seguiria sua ética e iria embora. Tudo bem. É bonito isso, mas e se você já estivesse na situação em que eu estava? O que faria? Não cheguei até aquele país e aquele hotel a passeio. É óbvio que a minha lógica é própria, ou eu não estaria ali naquele momento, então toda dor pode doer menos. Todo mundo sabe disso. Eu sei disso. Ver meu trabalho valorizado substancialmente era uma possibilidade presente. Era só dizer um número e, do outro lado da linha, o Mestre iria ter que fazer malabarismo para conseguir.

– Cinquenta.

A pausa foi a mais longa até agora.

– Cinquenta o quê? – saiu a voz um tanto fraca do outro lado.

– O que você acha? Cinquenta mil é que não é.

– Está bem. Vou ver o que posso fazer.

– Teste sua autonomia.

– Vou testar. Mas você... – Pausa. – Está bem, eu vou atrás.

Ele desligou. Eu olhei para o celular e pensei no que se resumia a vida. Quando pensei que chegaria neste ponto? Dizer um número e mover o mundo – pelo menos aquele submundo em que eu estava metido.

Comecei a ficar em dúvida se realmente embarcaria para Washington naquela noite. Quanto estaria deixando para trás?

Deitei-me. Olhei para o teto. Não sabia muito o que fazer. Devia ter pedido tanto? Quando já estava começando a sentir uma ponta de arrependimento, eu me lembrei dos filhos do Candidato e achei que era "troco" o que tinha pedido.

Não havia o que fazer além de esperar. Ai, os prazeres que o dinheiro pode trazer falam mais alto. Liguei para o *lobby* e pedi o uísque, aquele que eu citei anteriormente. O garçom que me atendeu perguntou se era uma dose dupla.

– A garrafa.

Respondi com um prazer indescritível. O prazer de não perguntar o preço. É lógico que eu não beberia toda a garrafa se fosse partir naquela noite, mas o que isso importa? O prazer de pagar uma fortuna por uma garrafa e não se importar se ela vai ficar pela metade. Mas algo me dizia que ela não ficaria...

A moça do restaurante trouxe a garrafa envolta em mil sorrisos e saiu com dois mil sorrisos quando pus uma nota de US$ 50 sobre a bandeja.

Não sou de esbanjar, mas naquele dia eu queria. Queria provar que o cara que passou pelo que passou, que sentiu o que sentiu, que viveu o que viveu, conseguiu dar a volta por cima de tudo e de todos e provar que seu talento, jamais reconhecido, era verdadeiramente um talento que rendia muito dinheiro.

Minha divagação não durou dois goles.

O celular tocou. Como não tinha o número de ninguém além do Mestre e do Rapaz, eu decidi que não atenderia.

O celular tocou novamente sobre a cama. O que tinha eu para fazer a não ser beber o meu uísque? Atendi.

A voz era inconfundível.

– Você está louco, Benny?

Era o Torre Eiffel falando entre um tom irritado e um que levava a risos.

– Não se preocupe, meu caro. Essa questão de valor foi uma ideia do Mestre. Ele perguntou e eu respondi, mas estou aqui pronto para pegar um táxi para o aeroporto. Desejo boa sorte para vocês. O grupo do Zangado tem capacidade suficiente para conduzir vocês até a vitória.

Não havia outra expressão para definir o que eu tinha acabado de dizer senão "filha da putice". Eu sabia que o Torre Eiffel tinha levado um soco do outro lado da linha. Eu me divertia enquanto enchia o copo de uísque.

– Você sabe que a gente não levanta esse dinheiro todo.

– Não? Então use a equipe do Zangado que são amigos e voluntários. Uma supereconomia.

– Não está correto isso aí, meu amigo.

– Não somos amigos, éramos uma relação comercial, agora somos nada.

– Estou ligando para você para a gente acertar as coisas...

– Então acerte. Cinquenta por cento e volto a trabalhar amanhã, mantendo distância de certas pessoas.

– Eu sei que os garotos passaram do ponto.

O Torre Eiffel falava sem a energia de antes.

– Vamos ser francos. Eu tinha um contrato e ia cumprir, mas vocês não conseguiram segurar o ímpeto dos parceiros de vocês, a "família", então esse valor que surgiu a mais, que vocês não querem e não vão pagar, você debite da conta deles.

– Tá...

Quando a resposta é uma sílaba, é porque não há mais motivos para continuar a ligação.

– Trinta por cento. A gente consegue chegar a esse percentual.

– Boa. Trinta é um bom número para vocês aplicarem no grupo do Zangado.

– Me dá mais uma hora.

Minha vontade era de dizer que talvez eu estaria bêbado após o tempo solicitado, mas concordei.

Uma hora e meia depois, a garrafa já mostrava sua transparência de forma mais evidente quando o celular tocou.

Era o Mestre.

– Eles batem o martelo em quarenta... agora!

– Certo. Valeu pelo seu esforço, mas vou para o aeroporto *agora*. Vocês deveriam saber com quem estão falando.

– Está certo. Você está certo. Fechamos em 48% de acréscimo ao contrato original, certo?

– Quarenta e oito? – Realmente não entendi o número quebrado.

– Dois por cento é... o meu valor. Pelo meu "esforço".

Eu comecei a rir. Talvez de tensão e de raiva de mim mesmo por ter me envolvido com aquela gente. O Mestre pedindo 2% da bolada. Ele, que até então era uma incógnita de como ganhava dinheiro naquela operação toda.

– Não lhe parece justo?

O Mestre era sincero.

– Sim. 1% é justo. Pode contar com isso.

Assim, passei a ter 50%, aliás, 49% a mais da grande quantia que eu já havia cobrado.

Não conseguia deixar de pensar no Torre Eiffel tendo uma crise em frente aos "garotos sem limite". Que custo teve aquela arrogância.

Peguei o telefone e liguei para Lara. Fazia questão de jantar com ela novamente. Era o teste para saber se os 49% iriam realmente se concretizar.

CAPÍTULO 13

DANDO AS CARTAS

Quando se sobe 50% na vida em uma só tacada (na verdade, 49%), fica implícito que todas as rédeas de todos os cavalos estão com você. Ninguém aceita uma proposta dessas não sabendo que entregou as fichas todas e que vai ter que se dobrar muitas vezes.

Até que fui humilde nas minhas exigências iniciais. Primeiro dei três dias (que acabariam virando cinco) para depositarem na velha e boa conta do Panamá, que eles já sabiam como fazer, e não era uma boa hora de arriscar com novidades.

Outra coisa importante quando se está dando as cartas é demarcar território. Eu não tinha território em Vera Cruz, mas todo homem é capaz de construir duas coisas rapidamente na sua existência: rotina e território. Sendo assim, marquei uma reunião com o Torre Eiffel, o Plastificado (não lembro se já falei dele) e o Mestre, que entraria por Skype porque, por algum motivo não explicado, não podia entrar no país. Sabe-se lá o que ele

85

fez em Vera Cruz para isso acontecer, mas isso era o que menos me interessava.

Voltando um pouquinho. O Plastificado é um grande empresário, parceiro do Torre Eiffel, porém com idade indefinida. Eu arriscaria que tem entre 55 e 80 anos. Sim, uma variação dessas demonstra o quanto o cara é estranho. Para não ficar chamando-o de Plastificado, e como não posso citar seu nome em função do ridículo acordo a que me submeti, vou chamá-lo de Ken. Para quem não sabe, Ken é aquele boneco de plástico, namorado, amigo, sei lá, da Barbie. Boneco por boneco, o Ken da Barbie tinha mais naturalidade do que o empresário de agora, mas o que importava isso? Ele, certamente, foi um dos que pagaram pela gigantesca cagada dos "meninos sem limites".

A reunião com os homens da grana (e do poder real) seria na manhã seguinte, pois eu gostei da sensação de jantar novamente com a Lara e deixá-los esperando.

Marquei no meu hotel. Lembram sobre demarcar território?

Nove da manhã. Após mais uma deliciosa sessão de melancias no café da manhã, chegaram os dois. Os dois, não. Os três.

Eles também pensaram em demarcar território. De forma tímida, mas pensaram. Chegou com eles o Rapaz.

Eu tinha avisado que nossa conversa começaria sem a presença da família. Isso para que tivéssemos um mínimo de ambiente profissional em algum instante dessa trajetória.

Antes que eu falasse qualquer coisa, uma mensagem chegou no meu celular. Era o Mestre. A mensagem dizia: "Fique calmo. Lembre-se de que não temos como apagar a família da história".

Olhei e respondi na hora: *Você diz isso porque mora aí e é só 1% envolvido.*

O Torre Eiffel estava sorridente como sempre, o Ken, sério e educado, e o Rapaz, com uma imensa feição de constrangimento. Cumprimentei-o com um mínimo aceno de cabeça. Fui correspondido da mesma forma.

Em uma das salas de reunião do hotel, sentamos, e o Mestre participou através da tela do computador.

– Bem, senhores. Espero que agora, após todos os desagradáveis acontecimentos, após consideráveis prejuízos para seus cofres e "caixas 2", como se referem aqui – os empresários se moveram nas cadeiras quando citei "caixa 2" –, eu acredito que possamos trabalhar. Ou isso ou nada. Vocês não ganham nada sozinhos. Eu posso dar alguma chance ao candidato de vocês. Sou técnico. Técnico e técnico. Não sou e não serei amigo de vocês. Não me convidem para almoçar ou conhecer suas empresas. Me deem ferramentas para trabalhar e confiem em quem já fez milagres. Sim, já fiz milagres, mas porque ajo com o cérebro, e não com o fígado, como os últimos acontecimentos mostraram.

Se uma mosca tivesse a ousadia de voar naquele momento, seria notada. Não se ouvia sequer a respiração daqueles seres na minha frente. Até o Mestre estava como um boneco do museu Madame Tussauds.

O PAI DAS FAKE NEWS

– Eu vou jantar com quem eu quiser, vou falar com quem eu quiser, vou trabalhar o tempo que quiser, mas vou dar resultado. Me cobrem. Me tragam dados. Alimentem minhas pesquisas e minha estratégia, e vocês terão resultados.

O Ken, que não era de emitir qualquer som, resolveu falar.

– Foi bastante traumático para nós tudo que aconteceu nas últimas 24 horas, mas fizemos um esforço sobre-humano para manter você aqui e dar sequência ao projeto de eleger nosso Candidato.

– Agradeço. Imagino que deva ter sido um esforço, mas não fui eu quem provocou isso.

– Claro… – disse o Torre.

– Tenho algumas coisas a solicitar. A primeira é que o irmão do… – Procurei a palavra, juro – do Rapaz cuide da sua vida, da sua turma, da sua técnica, mas não interfira no meu trabalho.

O silêncio da mosca que não voa voltou. Nenhum comentário.

– A segunda questão é que o nosso QG será aqui no hotel. Montem a equipe necessária, aluguem uma sala grande, o que for necessário, mas será aqui.

Ken emitiu som novamente.

– Mas… nós tínhamos montado lá na minha empresa e…

– Diante de tudo o que já gastamos, isso é o de menos. – Foi pragmático o Torre Eiffel.

– Bem. Trabalhamos, então?

Os olhares foram de alívio.

– Nossos fornecedores de tecnologia estão na Rússia e na Espanha. Quando cito Rússia, estou me referindo a países da antiga União Soviética. Países que foram extremamente úteis na campanha do Trump.

Todos olhavam atentamente, mas dava para ler os cérebros de cada um. Só pensavam em que valor viria... E veio.

– Bem. Como sou proativo, pedi para meus contatos externos algumas referências de preços de empresas que trabalham para eles ou com eles.

– Aqui em Vera Cruz? – Torre Eiffel estava surpreso.

– Sim. Esse pessoal é muito interligado. Trocam serviços, e boa parte do processo operacional teremos que fazer por aqui. A inteligência vem de fora, mas do operacional muito terá que ser feito em Vera Cruz.

– Você já tem números? – perguntou a voz esquecida do meu sócio de 1%.

– Tenho.

Abri o meu computador, ajustei a tela e comecei a ler para eles.

– *Setup* do *chatbot*: três milhões. Custo mensal: um milhão.

Todos se olharam. O Rapaz falou pela primeira vez.

– *Chatbot*?

– Você sabe o que é *chat*, não? Conversa. E *bot*? Robô. Então, juntando os dois chegamos a uma tradução literal de "robôs de conversa". Eles serão os assistentes virtuais. Vão dar o retorno para nossos ávidos apoiadores e eleitores.

O PAI DAS FAKE NEWS

O Rapaz fez um leve gesto de cabeça. Confirmou que havia entendido.

– Esses três milhões e um milhão são em...? – Torre Eiffel com coceira no bolso.

Sorri. Como sei sorrir nessa hora.

– Logicamente na moeda dos negócios.

– Dólares? – quase gritou o Ken.

Olhei para um e para outro.

– E não falamos ainda sobre o valor de disparos em massa, *dashboard* e tudo o mais necessário para uma campanha.

Senti que os empresários ambiciosos de Vera Cruz começavam a entender o tamanho da brincadeira em que haviam se metido.

CAPÍTULO 14

O QUE VOCÊ PENSA QUANDO ACORDA?

Lara, educadamente, como sempre, pegou seu celular da bolsa e me entregou em um gesto que até parecia estudado, mas eu sabia que era da elegância natural da moça.

O celular já estava ligado, e ela apontou a tela para mim.

– Estas são ameaças das últimas 24 horas.

Olhei e imediatamente tive a sensação de que não precisava ser um legista para descobrir as impressões digitais. O Zangado estava esculpido em cada palavra. Sua identidade se mostrava de forma cristalina em cada palavra agressiva que eu podia ler ali. Era uma carta de apresentação moral. Minha irritação era tanta que a minha conta do Panamá parecia um fardo naquele momen-

91

to. Não vou narrar aqui o que eles diziam a respeito de Lara porque, como disse no início, não vou dar palco para eles, mas vocês conseguem imaginar facilmente.

Você pode estar se perguntando: esse cara passa o tempo todo falando em pós-verdade e vem aqui criticar os filhos do Candidato? Pois é. Jamais criticarei a opinião do meu leitor, ainda mais depois de ter aceitado todas as condições que aceitei para que este livro fosse publicado. Contar esta história era mais importante que tudo, então, meu maior respeito a você, leitor, mas, por favor, não me julgue antecipadamente. A forma de agir do Zangado e de sua "equipe de difamação" era algo muito além do julgamento que você possa fazer a meu respeito. Vou atacar, sim, um candidato, vou fazer montagens impactantes, essa filhadaputice toda que uma campanha eleitoral proporciona para mostrar que a raça humana é bem menor do que pensamos, mas isso tudo em um terreno onde quem está ali sabe (ou deveria saber) que se meteu no pântano. Não há ingenuidade em uma campanha política, mas, quando você atira livremente e o alvo é uma mulher, uma pessoa que só emitiu suas ideias por meio de comprovações jornalísticas, e mesmo assim você ataca sua reputação de forma repugnante, é porque você pertence a outro estágio do palco de filhadaputices.

Pode me julgar e dizer que sou dúbio em termos de caráter, mas eu tenho um caráter. O meu, próprio, individual e voltado ao que acredito. Posso ser julgado como um sujeito errático, como um mercenário, como você quiser julgar, mas não sou hipócrita. Minha linha de pensamento é clara. Crio verdades inexistentes, invento fatos, mas se até Nietzsche dizia que as "interpretações são o que de fato existem, não os fatos", quem serei eu para fingir que isso não é uma ferramenta de trabalho? Mas veja bem: de trabalho. O que a turma do Zangado faz é dirigido a destruir a reputação de um ser humano, não de um político. Sim. As duas coisas não são a mesma coisa. Há uma diferença abissal entre a raça humana e a raça política.

– Fico reconfortada de ver a sua expressão. Confesso que já estou com tanta "casca" para enfrentar isso tudo que não me choca mais. Mas fico feliz de ver você.

– Lara, Lara... sua transparência sempre foi formidável. Por isso decidi enfrentar aqueles *raivosos* quando cobraram o "porquê" de eu ter jantado com você. Estamos aqui, de novo, para sermos espionados e também para mostrar que eles não conseguem o que querem, como pensam que conseguem. Você, dessa forma íntegra de agir diante de tanta coisa... – Me faltou vocabulário em todos os idiomas que falo – tanta crueldade misturada com ignorância me mostrou que vou conseguir ignorar esses caras. Vou conseguir fazer o meu trabalho olhando não para eles, mas através deles.

Lara tomou um pequeno gole do vinho tinto, safra 2002, da Toscana. O rótulo não lembro. Sou ruim para essas coisas, já disse.

– Agradeço suas palavras e sua real preocupação com o que fazem comigo neste país, mas, por mais delicioso que seja nosso papo, nosso jantar, eu não tenho como esquecer que você vai trabalhar para essa gente.

O PAI DAS FAKE NEWS

– "Essa gente" é um panorama muito amplo, minha amiga. Tem gente melhor, tem gente pior, tem, na verdade, uma cópia, ao sul da linha do Equador, daquilo que vi nos Estados Unidos, na Grã-Bretanha...

O que vendemos na campanha do Brexit eram "não verdades". No caso do Trump, dizem que... eu não tenho dados sobre isso, mas dizem que 70% do que ele fala não é verdade. É possível isso? Não? Não seria, mas ele é hoje o quadragésimo quinto presidente norte-americano. Surpresos ficaram os americanos que pensam como você? Sim, a grande maioria ficou, mas como isso foi possível? Porque pessoas que pensam como você "dormiram" no berço esplêndido da arrogância. Tinham a certeza de que o *impossível* não aconteceria, mas o *impossível* era apenas o *improvável*, e quando acordaram era tarde. Era tudo *provável*. A mesma coisa no caso do Brexit. A verdade não tem mais o mesmo sentido. Esse é o tema central. Verdade não quer mais dizer verdade.

– Sua argumentação é fundamentada e coerente, meu caro Benny, mas volto à questão que falamos na última vez. Se você vier aqui ganhar sua grana, sua montanha de grana e o Candidato perder, ótimo. Mas e se ele ganhar? Será um estrago incalculável para este país.

– Pode ser, mas eu não posso acordar de manhã pensando em perder. Eu seria um louco e mau-caráter se fizesse isso. Vim para fazê-lo ganhar, depois a gente vê como fica.

– O problema do "depois a gente vê como fica" é que você não fica aqui. Você vai embora, e um país se destruirá ao longo do tempo com esse cara conduzindo uma nação para o caos, pois ele se alimenta do caos, todos sabem disso.

Agora foi minha vez de sorver o vinho. Sorri, fiz um leve movimento de inclinação para a frente e falei com calma.

– Lara, vou trabalhar para ele ganhar. Hoje ele é uma improbabilidade total, mas eu vou trabalhar para a improbabilidade ser uma certeza. Pois bem, se ele ganhar, duas coisas vão acontecer: a primeira é ele ser tutelado por ministros, técnicos, pessoas sérias que irão colocá-lo no lugar, e as coisas transcorrerão como sempre: a elite manda, e o "burrão do fundo da sala de aula" vai obedecer. A outra possibilidade é ele não aceitar a tutela de gente experiente e agir com a própria cabeça. Ele criará um ambiente tão caótico que não durará o tempo do seu mandato. Das duas formas, Vera Cruz vai se recuperar.

Lara recostou-se na cadeira e pediu se eu podia falar com o hotel para que ela fumasse ali na mesa. Sim, ela fumava. Falei com o gerente, e diante de um restaurante vazio e uma nota de US$ 50 tudo estava permitido. Lara sorriu, agradeceu, pediu desculpas por fumar na minha frente, mas acendeu o cigarro mesmo assim.

– O problema, meu caro Benny, é que você analisa tudo diante de certa lógica que é, com todas as minhas discordâncias, uma lógica de uma pessoa racional. O problema é que aqui em Vera Cruz as coisas não seguem lógica nenhuma.

– Você quer dizer que minhas afirmações estão erradas?

– Não deveriam, mas a tendência é que estejam. Ele assume e faz o que quiser e as pessoas não irão tirá-lo de lá. Sabe por quê?

O PAI DAS FAKE NEWS

Porque ele é o espelho de grande parte do sentimento da população de Vera Cruz. Não são 5% ou 10%, é muita gente.

– Você quer dizer que, se ele for eleito, vai fazer o que quiser e nada vai acontecer?

Lara sorriu e acendeu outro cigarro; dessa vez, sem me consultar se me incomodava.

– Ele vai destruir este país, e todos irão permitir, mesmo não aceitando. O "burrão do fundo da sala" tem muitos colegas como ele, e aí será o caos. Você deveria pensar nisso ao acordar.

CAPÍTULO 15

É PRECISO TER FIRMEZA PARA ACORDAR E CONTINUAR

Acordei. Era dia da primeira reunião com a equipe oficial que os apoiadores haviam montado. Não tinha como não pensar no que Lara tinha me falado. Eu precisava ter uma isenção interna ou não trabalharia nessa atividade. Certa insensibilidade para poder transitar em meio a pessoas mesquinhas e ambientes que faziam a política ser como ela realmente é, não como deveria. Politico mente. Sim. Alguns podem ser diferentes, mas a regra básica é essa, infelizmente.

Maquiavel já dizia, em *O príncipe*, que um governante precisava ser um grande fingidor, um dissimulador. Se é assim, qual é o meu drama ao acordar hoje? Nenhum. Na verdade, não gosto quando palavras ficam ecoando na minha cabeça, e a conversa de ontem com Lara deixou exatamente essa sensação. Maquiavel não conheceu essa gente com quem estou me metendo, então que ninguém venha me dizer que é fácil. Estou razoavelmente preocupado, talvez incomodado seja o termo, mas agora é tarde. Talvez eu tivesse um sentimento secreto, interno, quando fiz tantas exigências na hora em que disse que pegaria o próximo voo de volta para os Estados Unidos. Talvez fosse o desejo de fugir desse momento pesado e surreal que vivia, mas, como todos sabem, eles aceitaram e acabaram com a possibilidade de alforria que havia sido apresentada. Fechei o cadeado. Fechei a algema.

O fato de não precisar me encontrar com o Candidato me dava um mínimo de tranquilidade e sanidade, mas o ambiente seria pesado. Eu iria usar minha técnica, minha estratégia para eleger o quê? Não era "quem", mas "o quê". Os indícios eram fortes o suficiente para eu saber que ainda não tinha enfrentado uma parada dessas. O Trump é o Trump desde sempre. Todos sabem. Mas e esse aqui? Qual foi o nível de civilidade que eu ultrapassei ao passar pela Linha do Equador em direção ao sul? Começo inconscientemente a torcer para que o cara monte uma boa equipe, que deixe essa equipe trabalhar, mas isso que estou fazendo é a antiestratégia. Em uma campanha como esta, tenho que ser frio, pensar no Panamá e nas Cayman, tocar o barco e voltar tranquilo para os Estados Unidos. De preferência, nem ler jornais com notícias de Vera Cruz. Fazer, ganhar e esquecer. Consigo fazer isso. Me preparei para isso.

Olhei para o grupo, muitos jovens, o Torre Eiffel e o Plastificado, ou melhor, o Ken. Ah, o Rapaz também estava lá. Calado como no dia anterior. Me perguntei se os dois (Torre e Ken) não tinham suas empresas para cuidar, mas parecia que tinham largado tudo para participar da campanha.

– Eu disse para os meus executivos que estou fazendo um MBA aqui, mergulhando nesta eleição para aprender para os negócios. Devo isso a você, Benny.

Confesso que levei um susto quando o Torre falou isso. Exatamente no momento em que eu pensava sobre o tema. O cara era um bruxo? Lia pensamentos? Eu, hein! Mais cuidado com o Torre. Mais cuidado.

– Obrigado. Obrigado pela confiança de todos vocês, mas agora vamos começar a montar nossa linha básica de ação. O primeiro passo é estabelecer o inimigo. Aqui em Vera Cruz parece que ele está claro. O tradicional "inimigo" da América e da Grã-Bretanha são os imigrantes ilegais, já aqui em Vera Cruz isso é algo que não funciona. Ao mesmo tempo, lá eles não têm o ódio a um partido como vocês têm aqui, então o primeiro passo é entender as particularidades. A partir de agora, nossa estratégia será toda em cima do coração, da emoção. A verdade é apenas uma palavra e, como toda palavra, só faz sentido se tiver um significado. Qual o significado da palavra "verdade" para você? E para você? E para mim?

O PAI DAS FAKE NEWS

Ninguém emitiu nenhum comentário. A palavra "verdade" era forte. Pena que esteja em baixa cotação.

– Terá o significado que cada um atribuir a ela. Assim, a verdade começa a ser construída agora. A verdade desta eleição. O que acontecerá depois que nosso candidato for eleito será uma nova verdade. Existe uma gigantesca massa de pessoas que foi perdendo o que tinha, lenta e invisivelmente, mas que foi guardando uma coisa só: o sentimento de perda. Para essa gente, nós vamos mostrar o quanto eles perderam e não perceberam. Agora eles têm a vez, têm a feição que os representa, alguém que odeia o *politicamente correto*, o sistema que os tornou mais pobres, com menos direitos, mais incapazes de reagir. Mas agora eles podem reagir. Podem votar. Podem derrubar a tradicional política como sempre foi estabelecida em Vera Cruz. Eles têm o direito de *vingança*. Votar no nosso candidato será a vingança de cada um. Esse sentimento primário de todo ser humano que é controlado ao longo da vida para parecer sociável, mas agora não é mais. Agora ele poderá explodir. As fake news que mostraremos irão atrair esse sentimento como uma onda atraindo os persuasíveis e os novos convictos. A vingança contra tudo que existiu até agora servirá como uma luva macia para uma mão sedenta de calor.

Terminei de falar, e minha plateia olhava fixamente para mim, como se tivessem, naquele momento, percebido, todos, que o negócio não era brincadeira. Até minha péssima metáfora – "como uma luva macia para uma mão sedenta de calor" – tinha funcionado.

100

Não se tratava de lançar fake news como o Zangado e sua turma faziam. Ninguém seria santo. Atingiríamos reputações, sim, mas de uma forma pensada, planejada, e não atirando aleatoriamente. Éramos uma equipe em busca de um objetivo. Os resultados, quando dão certo, são comemorados, festejados, mas ninguém lembra do suor que existiu por trás disso tudo.

Nossa missão era mostrar que nosso candidato era o *único* capaz de derrotar "isso tudo que está aí". Ele seria construído de uma forma que faria as pessoas torcerem o nariz na hora de votar, mas votariam, afinal, ele era o *predestinado* para isso. A fusão entre política e fé é uma puta sacanagem, mas, como já afirmei, não fui eu que inventei isso. É ciência. É a velhinha e o bilhete premiado. Eu forneço o bilhete premiado, não crio a velhinha.

De nada adiantariam disparadores em massa, robôs, CPFs clonados etc. se não tivéssemos a alma por dentro de tudo. O povo ou, por assim dizer, a massa de sofredores, os perdedores de Vera Cruz, se uniria à massa de aproveitadores, inescrupulosos, não civilizados, e juntos levariam o nome do nosso candidato à vitória.

Tenho certeza de que o Torre Eiffel respirou aliviadíssimo ao ouvir tudo o que eu disse. Deve ter sentido seu dinheiro virando algo concreto e realizável. Na verdade, todos estavam muito empenhados e motivados após minha explanação. O próprio Rapaz, que mal olhava para mim nos últimos dois dias, me deu um tapinha nas costas e disse que sentia, mais do que nunca, que tínhamos chances.

O PAI DAS FAKE NEWS

Pois é. Como eu disse, acordei com essa sensação estranha de estar fazendo algo que, mesmo dando certo, poderia dar errado. Enfim, não é da minha natureza entrar em questionamentos como esses. Fiz minha meditação numérica e me transportei mentalmente para o Panamá. Imaginei minha conta se multiplicando. Isso é fato. Isso é concreto. Não é uma pós-verdade.

CAPÍTULO 16

O CANDIDATO: O VERDADEIRO PROBLEMA

— Só estou ligando para você para que esteja a par da situação, mesmo que ela não mude em nada o projeto que você está desenvolvendo. Aliás, estão todos muito satisfeitos.

Essa ligação com um contexto dúbio veio do Mestre. O meu sócio em 1%. Chamo de dúbio porque, ao mesmo tempo que me dizia que tudo estava bem e continuaria como combinado, dizia que eu precisava ficar a par de uma situação "complexa", digamos assim. A forma de me tranquilizar era dizer que meu trabalho estava ótimo, mas quem consegue desenvolver um trabalho ótimo com uma espada permanentemente apontada para a cabeça?

O PAI DAS FAKE NEWS

A tal situação era a seguinte: o Candidato, que até então era apenas um nome para mim e cujos filhos é que representavam problemas, começou agora a criar os problemas em relação a minha pessoa. Ele passou a se sentir ofendido com minhas condições para executar meu trabalho. Na prática, o inferno em Vera Cruz era diário. Algumas horas produtivas, e então algo acontecia no paralelo para impedir o fluxo de trabalho.

Não havia chegado nada a mim sobre essa "mágoa" do Candidato, mas o toque do Mestre era sinal de que vinha merda na sequência. Não existe, nessa área, esse papo de "tudo vai se resolver". Nada se resolve. Tudo se complica, isso, sim. Depois a coisa explode, e quem tem mais culhão se mantém vivo, e quem não tem é engolido pelo sistema.

O Mestre me informou que o Candidato chegou a uma reunião na sua casa e disse que queria esse estrangeiro fora da sua campanha. O rebuliço foi grande, como era de se esperar, e começaram as falas dos aconselhadores para que não fizesse isso. Ele, irredutível, disse que eu era um arrogante e que ninguém nessa campanha teria importância maior do que ele, portanto não aceitaria desaforos de um gringo que chegou bancando "a última bolachinha do pacote". Confesso que essa expressão é bem típica de Vera Cruz e de difícil tradução para outros idiomas em termos de sentido, mas, como já disse, Vera Cruz é um país intraduzível.

A posição firme do Candidato fez com que o fogo se estendesse até a sala de trabalho do meu hotel e fizesse o Torre Eiffel embarcar às pressas no seu jatinho (sim, ele tinha jatinho, e eu não tinha, portanto fiquem do lado do proletário nessa história; no caso, eu) e chegar literalmente voando na casa do Candidato. O diálogo que se seguiu, segundo o Mestre, foi algo ríspido que chegou ao ponto de a seguinte frase ser dita pelo Torre:

– Não vamos jogar no lixo o dinheiro que investimos e muito menos perder a oportunidade de ganhar esta eleição. O senhor é o nosso candidato, mas, se forçar a barra, nosso propósito de levar a direita ao poder não morrerá. O povo quer a direita mandando em Vera Cruz. Com ou sem o senhor.

Bem, depois de um golpe desses, um candidato com um mínimo de personalidade expulsaria o Torre Eiffel da sua casa e tomaria as rédeas da sua campanha, mesmo com redução substancial de dinheiro. Pois o nosso candidato fez o que eu já imaginava de acordo com o perfil da família: bufou, chutou as paredes, ficou com as veias do pescoço grossas de tanto ódio, mas disse para o Torre que, sendo assim, mesmo ele sendo o candidato e tendo o poder de decisão (sim, dava pra ver...), o gringo continuava, mas que isso não ficaria assim.

A tradução do Mestre é que o "isso não ficaria assim" era o que de mais verdadeiro foi dito na pretensa reunião. O Candidato não era afeito a equilíbrio emocional, muito menos a esquecer algo que lhe foi imposto. Assim como não tinha personalidade para negar ou negociar algo, ele também tinha uma enorme capacidade vingativa. Tudo adornado pela *família sem limites*. "Um ambiente mágico para trabalhar."

O PAI DAS FAKE NEWS

Muito bem. Se eram essas as condições, então eu não me estressaria por elas. Tocaria o projeto adiante e, se o destino quisesse, talvez a frase de Lara sobre "pensar nisso ao acordar" se materializasse e tudo terminasse pelo melhor. No caso, eu voltando para os Estados Unidos.

Quis o destino que eu desligasse o celular após falar com o Mestre e, ali, diante de mim, se materializasse o Rapaz. Era uma assombração na minha frente, olhando na minha direção como se tivesse ouvido tudo que falei com o Mestre.

O normal e recomendável seria eu desviar o olhar e voltar para o trabalho, mas minha intuição e meu senso de vingança talvez às vezes me igualem ao Candidato e à sua família.

– Já soube o que aconteceu na casa do seu pai.

O Rapaz ficou um tanto perturbado.

– Como assim? Quem lhe falou?

– Por quê? Não era para eu saber?

– Pois... pelo menos foi o combinado. Que esse assunto teria sido resolvido e não chegaria ao senhor.

– Mas chegou.

– E... qual é sua opinião?

– Minha opinião?

Se eu fosse grande o suficiente para dizer a verdade, empilharia uma montanha de impropérios e palavras que fariam o Rapaz explodir de raiva, mas alguma luz divina me ilumina de vez em quando, e o que eu disse foi algo certeiro, na veia, no *target*, tudo que puder expressar a palavra "exatidão".

– Está aqui. – Mostrei meu celular. – Esse é o número privadíssimo do Donald, você vê que está escrito só "Donald" por motivos óbvios. Se reúna com seu pai e ligue para esse número perguntando se vale a pena ter na equipe uma pessoa cheia de manias, exigente, arrogante, tudo que seu pai pensa de mim. Pergunte se vale a pena ter esse profissional na campanha dele. Depois dessa resposta, seu pai irá pensar melhor antes de dizer o que disse na reunião – a menos que ele não seja um admirador do Donald como tanto apregoa. Façam isso o mais breve possível para acabar logo com essa porra!

Usei o "porra" para ele entender que usamos o mesmo vocabulário quando necessário. Muito bem. Vamos trabalhar.

CAPÍTULO 17

O NEGACIONISMO

O trabalho continuava, e o grupo era aparentemente disciplinado.

– Eu preciso que fiquem mais claros os dados e as características regionais que vocês talvez conheçam, mas para mim é tudo novo. Só posso cruzar dados com informações confiáveis e embasadas em cada região. Vocês são um continente, e isso dificulta tudo. Queria eu estar fazendo uma campanha na Finlândia. Receberia todos os dados no primeiro dia e teria uma estratégia pronta no segundo.

Todos riram, e o Torre fez o comentário de que lá eu não ganharia um dígito do que estou ganhando aqui. Sempre o dinheiro... Mas foi engraçada a comparação.

– Pelo que já constatei, existe um grande sentimento negacionista por parte da população de Vera Cruz.

Todos se olharam. Vi que não haviam entendido o significado da minha frase.

108

– Isso é ótimo. Grandes temas da humanidade só conseguem encontrar oposição porque existem os negacionistas. Pela minha análise preliminar, podemos claramente questionar a ciência, a cultura, a educação e favorecer os instintos reprimidos dos negacionistas de Vera Cruz. Até aqueles que não são negacionistas passarão a se utilizar dessa "nova certeza" que surgirá da negação de fatos comprovados, porque isso faz bem para seus interesses pessoais. Os interesses pessoais movem o mundo, mas digamos que movem um pouquinho mais aqui em Vera Cruz.

O Rapaz, que hoje parecia mais calmo, pediu um exemplo.

– As proibições de garimpo, de novas fronteiras agrícolas, por exemplo. Hoje, e isso a amostragem é claríssima, quem é envolvido com o setor de exploração mineral ou agricultura aqui em Vera Cruz não consegue se expandir em grandes áreas do país por causa do controle ambiental. Eles são impedidos em função de leis ambientais com respaldo mundial, mas e se questionarmos essas leis? Se questionarmos os embasamentos científicos que geraram essas leis?

Ken levantou a dúvida sobre quanto poder teríamos de questionar leis que são internacionais e comprovadas.

– Alguém aqui tem dúvida de que o cigarro faz mal para a saúde?

O silêncio respondeu tudo.

– Pois bem. A indústria tabagista, com todas as evidências comprovadas ao longo do tempo de que fumar cigarro leva ao câncer e etc., conseguiu imprimir na comunidade uma dúvida sobre o quanto os estudos científicos tinham realmente de comprovação. A dúvida desacreditava a ciência, e aí a dúvida e o descrédito davam voz para aquele desesperado para acender o próximo cigarro. Era como a permissão para nadar no lago de águas profundas. O garoto está louco para fazer isso e, se a mãe distraidamente permitir, ele vai mesmo sabendo dos perigos. A dúvida sobre o quanto a ciência realmente sabia sobre os malefícios do cigarro deixava o fumante menos culpado. Afinal, se há dúvida, ela pode ser a favor dos fumantes. Esse é um exemplo, mas temos o Trump dizendo que o aquecimento global é algo criado pelos chineses para destruir a indústria norte-americana. Vejam que aí, nessa fala do Trump, somam-se vários conceitos juntos: a negação da ciência, a escolha de um inimigo e o conceito de pertencimento. "A nossa indústria está sendo dizimada pelo inimigo. Estão roubando o que é meu." Jamais se levantaram questionamentos sobre quão poluentes eram as indústrias norte-americanas e que, por isso, causavam os males de que eram acusadas. Ver sempre um lado só, uma face, é o mantra da nossa estratégia.

Partimos para números, o que sempre doía aos empresários apoiadores. Os disparos em massa precisam de *softwares* que custam em média 350 euros por ano, cada um. Tive certa dificuldade em explicar que ninguém aceitaria a licença pelo tempo que usaríamos, mas sim por um ano fechado.

– Isso é bom. Vocês podem utilizar após a campanha. Será um apoio ao Candidato.

Para não chamar atenção, os pagamentos poderiam ser feitos em pequenas frações, por instrumentos como PayPal, de uso massivo. Pedi que localizassem pequenas empresas, pequenos comércios que pudessem fazer esses pagamentos. Como era caixa 2, o dinheiro viria dos apoiadores e seria dividido entre os pequenos comércios que fariam os pagamentos. Dá trabalho fazer isso (ouvi reclamações a respeito), mas é isso ou cometer erros que levarão gente para a cadeia. Dinheiro é rastro. Já disse e repito: apagar o rastro do dinheiro é tão difícil quanto sumir com um corpo. Sempre ficam uma evidência aqui, outra ali. Era, de certa forma, patético ver o quanto eles tinham resistência em fazer as coisas pela maneira mais segura. Queriam juntar uma bolada de dinheiro e pagar os fornecedores. Suicídio.

— Acho que já paguei meu preço protegendo essa gente – disse eu para o Mestre.

— Você não sabe de nada. Essa forma irresponsável e arriscada de agir que eles usam parte do próprio Candidato, que não tem cuidado nenhum. Deposita cheque na sua conta.

— Bem, mas se for assim, não chegaremos ao final da campanha.

— Já falei com o Rapaz para ficar de olho no pai dele, pelo menos nesse período. Evitar que ele toque em dinheiro.

— É o mínimo para alguém que se vende como o "burrão do fundo da sala, mas é honesto".

— Deveria ser – concluiu o Mestre com certo desânimo.

Preocupações à parte, seguíamos, mas me preocupava o "fogo amigo" mais do que o inimigo. Já tinha tido experiência suficiente para saber disso. Era muito "fogo amigo" junto. Que país difícil de entender...

– Os disparos das mensagens virão de vários países (Estados Unidos, Espanha, Colômbia, Argentina) e muitos daqui de Vera Cruz. Vou montar as mensagens para os robôs, todas com um assunto dominante que seja facilmente replicável. Lembrem-se de que a manchete é o que vai fazer a pessoa clicar e repassar. Aí vamos mandar essas mensagens com fake news para os grupos de apoiadores que vocês me apresentaram, e de lá tudo passa a ser replicado de forma natural.

– Os nossos apoiadores irão repassar, certamente, mas que garantia temos de que dali para frente as mensagens sigam?

Pergunta feita por um jovem com aparência técnica.

– Aí entra a ciência da manchete certa, como disse para vocês. Os robôs fazem uma parte, mas o que dará veracidade é quando as pessoas comuns começarem a passar para suas famílias, seus amigos, e a discussão que isso criará. Famílias irão rachar, amigos irão brigar, mas é disso que se alimenta a pós-verdade. Se ela ficar restrita aos disparadores, não teremos efeito. Ela precisa crescer como o fermento de um bolo faz a massa dobrar de tamanho. Nós só criamos o impulso, mas o resultado vem da aceitação do povo.

Ressaltei que teríamos problemas pela opção do WhatsApp, porque outras plataformas seriam mais fáceis; mas, quando perguntei quem ali usava WhatsApp diariamente, e todos se manifestaram dizendo que só usam WhatsApp, eu não tinha mais o que discutir. O jeito era enfrentar o bicho como era.

Voltando a falar das particularidades de Vera Cruz, eu sentia que precisava aprender rápido, muito rápido, a ponto de não ser surpreendido por aquela turma na minha frente. Minha equipe, no fundo, torcia para um tropeço meu. Eu sei disso. É assim que funciona nesse ambiente, mas eu estava firme.

Uma das coisas que, confesso, até me assustavam era a escala de valores da classe dominante de Vera Cruz. Uma grande parte, bem mais do que o razoável, acreditava que a liberdade da economia era muito mais importante que as liberdades individuais. Eu sei que na América Latina isso não era propriamente uma novidade. Veja o caso do Chile, onde fuzilavam jovens por eles serem contra o governo Pinochet, e os também jovens liberais, estudantes de Economia em Chicago, que soltavam foguetes pela liberalização econômica no Chile.

Isso é impensável em um país como os Estados Unidos, onde a liberdade individual e os preceitos democráticos são maiores que tudo. Isso não se discute. Já em Vera Cruz se discutia tudo, a começar pelo que é certo ou errado. Enquanto a lei em um lugar como os Estados Unidos e em grande parte da Europa é algo para ser cumprido, em Vera Cruz ela "dependia". Pior é que o "dependia" era cada vez mais a favor de quem tinha dinheiro, a chamada classe dominante. Os valores eram completamente desiguais.

O lado ruim de tudo isso é que o gosto amargo deixado pela fala de Lara durante nosso jantar, o "pense nisso ao acordar", ecoava na minha cabeça e me obrigava a dominar esse pensamento o tempo todo. Algo completamente surreal para mim, que

O PAI DAS FAKE NEWS

sempre tive muito claro o que queria fazer, porque queria ganhar dinheiro muito além do suficiente para poder assim esquecer, enterrar o meu passado. O lado bom era que Vera Cruz apresentava anomalias no pensamento do seu povo que tornavam a minha atividade realmente mais fácil. Eu estava com a sensação de que o Candidato iria ganhar, sim. Não por mérito dele, zero de mérito, mas pela formação do povo do país. Os negacionistas e os inconscientes do negacionismo. Aqueles que só esperam a boiada explodir para seguir atrás. Quando há um povo assim, um candidato *outsider* como o nosso vem para abrir a porteira e liberar a boiada. Nunca ouvi falar que algum estouro de boiada tivesse dado certo no mundo, mas era mais uma questão para eu interpretar e aprender em Vera Cruz.

Para me proteger, pelo menos mentalmente, passei a encarar aquilo tudo como um estudo aprofundado de um novo cenário. Minhas fake news seriam testadas em um terreno diferente. Aparentemente muito mais fácil, mas, ao mesmo tempo, com um bombardeio de fogo amigo como não aconteceria em lugar algum. Seria bom. Eu sabia que poderia transformar tudo em algo bom.

Um dia prometi para mim mesmo que faria sempre essa transformação de adversidades em vitórias. Ou eu fazia isso ou morreria. Então prometi. A hora era aquela.

CAPÍTULO 18

EM NOME DELE

Tomava eu o delicioso café da manhã acompanhado daquela fruta que vocês já sabem bem qual é, quando avistei o Rapaz se aproximando. Não preciso dizer que aquilo já me dava uma sensação de que problemas chegavam. Estranhamente, ele estava só. Aproximou-se lentamente, como quem tem cuidado a cada passo dado. Parou na minha frente.

– Algum problema? – perguntei já com um pouco de angústia.

– Não. Problema nenhum.

– Sente-se. Toma um café.

– Obrigado. Já tomei.

Ele se sentou em gestos pausados que denotavam uma estratégia, algo a ser dito, não somente uma companhia para o meu solitário e amado café da manhã.

– Como está sentindo o clima da campanha? – Eu tinha que dizer alguma coisa.

115

– Está começando ainda, mas sinto que a equipe está animada com suas orientações.

– Isso é muito importante, porque uma equipe empolgada rende muito mais.

Como podem ver, o assunto estava nesse ritmo morto e não chegava aonde deveria chegar.

– Eu... – ele fez uma pausa – queria lhe dizer que não tivemos o começo que eu imaginava, mas, ao mesmo tempo, tenho certeza de que estamos no caminho certo. Confio cada vez mais no seu trabalho, nas suas análises, e vamos mostrar para Vera Cruz que o meu pai é o presidente de que eles precisam.

Cheguei até a pensar que ele havia sentado ali para me dizer isso, mas não seria algo muito usual em se tratando "deles". A enrolação seguiu mais alguns minutos e alguns pedaços de melancia. Alguns elogios mais, e aí veio a questão:

– O que vou lhe pedir é algo pessoal. Não é um pedido da campanha, mas, como o senhor viu, somos uma família muito unida e estamos pensando no futuro. Como acreditamos que Deus nos reservou a missão de governar este país, eu gostaria que o senhor, com seu talento, ajudasse a deixar um legado para todos nós.

A conversa parecia ter engrenado, mas nada que fosse possível entender era dito.

– Ao final da eleição, o senhor vai voltar para seu país, e nós continuaremos aqui. Sabemos a importância que o senhor vai deixar na nossa história, na história deste país, mas, por causa da atividade que o senhor exerce, provavelmente já estará em outro país trabalhando em uma nova campanha.

– É da natureza do negócio, certo? – disse eu, para ver se descobria algo.

– Sim, é da natureza do negócio, então por isso faço um pedido que foge um pouco ao padrão, mas o senhor viu que em Vera Cruz tudo é muito diferente.

– Sim. Percebi isso.

– Pois então, meu pedido é que meu irmão possa ficar como o responsável por toda a estratégia digital da campanha.

– Não entendi… Desculpe.

Ele buscou um jeito de falar o que sabia ser inconveniente.

– Ao final, quando ganharmos, se meu irmão for reconhecido pela elaboração da campanha, será bom para o senhor, que não quer aparecer, não quer se tornar público, o que é bom, aliás. Então ele ficaria como o idealizador de todas as estratégias, não só as dele, e assim continuaríamos ganhando espaço no futuro. Logicamente, se o senhor concordar com isso. Temos que reconhecer que ele está trabalhando muito.

Fiz uma longa pausa. Era um pedido completamente fora de tudo que eu poderia imaginar. Olhei nos olhos do Rapaz:

– Seu irmão sabe disso? Seu pai sabe disso?

Ele demorou um tempo igual para me responder.

– Meu irmão imagina que eu ia pedir isso, mas nunca falamos abertamente. Meu pai não sabe.

Inspirei.

O PAI DAS FAKE NEWS

– Bem, como você mesmo sabe, não é algo usual esse seu pedido, mas vou pensar e falamos ao longo da campanha, pode ser?

O Rapaz respirou aliviado. Ele sabia que aquela ideia era absurda e que eu poderia ter uma reação igualmente absurda. Mas não. Decidi deixar isso na manga para usar quando fosse preciso. Eles queriam usar minhas ideias como deles, então precisavam de mim cada vez mais. Era uma espécie de elogio indireto.

Levantei-me e agi com toda a naturalidade necessária.

– Vou para o QG. Você vai?

– Não. Vou me encontrar com meu pai hoje, mas amanhã estarei de volta.

Assim, rumei para o salão onde estava minha equipe, e o Rapaz foi para mais um encontro com seu pai.

Quando cheguei ao QG (é assim que passamos a chamar nossa base), senti que tinha certo clima no ar. Olhei para um e para outro, e todos trocavam olhares contidos.

"O que foi agora?", pensei.

Sentei-me junto a minha mesa, e o Ken veio até mim.

Olhamos um para o outro por um tempo, e ele virou a tela do seu *laptop* para mim. O que vi era uma senhora muito machucada, com muitas marcas de agressões no rosto e uma frase que dizia:

ESSA SENHORA GRITOU O NOME DO CANDIDATO (nosso) NA RUA, E OS APOIADORES DA OPOSIÇÃO FIZERAM ISSO.

Claro que a frase não estava escrita assim, mas, devido ao meu acordo, foi como deu para traduzir.

– Uau. Como conseguiram?

– Zangado publicou – disse o Ken sem nada de ânimo.

– É forte, mas... talvez forte demais para esta altura da campanha, você não acha? É algo forte, mas... sem estratégia. Pode somar, mas... tenho minhas dúvidas.

A expressão do Ken (se é que ele conseguia ter alguma depois de tantas plásticas) me dizia que tinha um subtexto por trás daquilo tudo. Passei a ficar preocupado e olhei fixamente para ele.

– E como... conseguiram esse fato? A mulher deu depoimento espontâneo, algo assim?

– Não. Ela não deu depoimento.

– Tudo bem, mas vocês pagaram para ela para aparecer na foto nesse estado?

– Não...

– Então?

Já estava mistério de mais para meu gosto. Era lógico que tinha algo errado ali, mas por que o porra do Ken não falava?

– Acontece que essa foto é de uma conhecida atriz de Vera Cruz.

– Conhecida? Quanto?

– Muito conhecida.

Me recostei na cadeira esperando as bombas que cairiam sobre mim.

– O Zangado, ou alguém da equipe dele, pegou a foto de um acidente de carro que ela sofreu alguns anos atrás e usou para fazer a postagem.

– Com a atriz famosa...?

Ken moveu levemente a cabeça afirmando.

– Mas a vantagem é que ela está fora do ar há um bom tempo.

– Fora do ar. Mas é ou foi muito conhecida? Pelo público que assiste às novelas? Pelo público que é o nosso público, certo?

O Ken praticamente não se sentava mais na cadeira.

– Mas você mesmo disse que, quando lançaram a notícia de que o Papa apoiava o Trump, demorou uma semana para ser desmentida e aí já tinha funcionado...

– Sim, mas você acha que escolhemos o Papa por quê? Além do efeito que ele geraria, a gente sabia que o Vaticano seria lento na percepção e em dar uma resposta. Mas uma atriz de novela? Com Vera Cruz inteira tendo a memória de quem é. Dando ar de que é verdade e chamando-a de "essa senhora"! Pelo amor de Deus! Como vocês conseguiram chegar até aqui, pergunto eu de novo? Isso é de um amadorismo sem precedentes.

– Eu sei... concordo, mas não tínhamos como esconder isso de você.

O Ken inspira profundamente.

– Cada dia me pergunto mais se devia ter entrado nessa.

Diminuí o tom de voz porque sentia que o Ken estava mesmo no limite. Olhei para ele e falei com sinceridade:

– Então me permita perguntar: por que mesmo você entrou nessa? Pelo pouco que vi, você tem a maior rede de supermercados do país, sem ofensa, mas é muito mais profissional que seu amigo Torre, então, o que o fez entrar nessa empreitada?

– Minha filha me faz a mesma pergunta. Pensei que seria uma oportunidade de fazer algo com meu dinheiro. Algo que pudesse mudar essa sequência de "desgovernos" que Vera Cruz vem tendo. Nunca neguei que eu sou de direita, que tenho um pensamento tradicional, mas aí eu torcia para que surgisse um candidato diferenciado, um candidato que pudesse exprimir aquilo que eu sentia, mas nunca surgia. Eu, como empresário bem-sucedido e como cidadão, torcia por alguém que representasse a minha visão de mundo. Essa figura nunca surgiu ao longo dos anos e, segundo pesquisas iniciais que fizemos, o atual candidato tem essa possibilidade de utilizar seu carisma para derrubar essa oposição que está agarrada ao poder. Não era nem de longe o candidato dos meus sonhos, mas era o que tínhamos, e aí, quando vi, estava com a conta bancária aberta, me envolvendo em gastos que não tenho como justificar, enfim, estava envolvido até o pescoço.

Foi uma grande surpresa para mim essa sinceridade do Ken. Ele se abria de uma forma diferente dos outros, mas, ao mesmo tempo, era cedo demais para já termos um dos principais apoiadores nesse estágio de letargia.

– Você não acredita que exista controle sobre os filhos dele?

– Nem sobre os filhos e muito menos sobre o Candidato. Eles são uma célula à parte na sociedade, mas é inegável que falam a língua da grande maioria de Vera Cruz.

– Menos a sua – arrisquei.

– Sei lá. Meu objetivo um, dois e três é destruir esse partido que domina o país, e aí fui me envolvendo cegamente. Quando se está cego, não tem como voltar a enxergar.

Era incrível perceber o número de camadas invisíveis que cobriam a sociedade de Vera Cruz. Do milionário empresário ali na frente ao representante mais genuíno do povo (que conheci pelas pesquisas), todos tinham particularidades muito mais específicas do que o norte-americano médio do Alabama, que eu citei anteriormente, ou do britânico médio da Grã-Bretanha, querendo sair da Comunidade Europeia. Vera Cruz era um país formado por inúmeras *layers* que nunca foram descobertas. Que se seguram em um estado de "quase" explosão. Por isso um candidato como esse que estamos trabalhando deixa de ser algo totalmente improvável para ser uma possibilidade.

Como isso pôde acontecer? Porque esse candidato levantou a ponta do tapete onde estavam escondidas todas as negações, todas as insatisfações de um povo que se reprime em todas as camadas da sua vida. Esse povo estava ali pronto para colocar seu primitivismo para fora. Eu tinha que me reinventar, porque o jogo era mais pesado, era mais brutal e não que tenha sido leve antes, mas a conversa do "apoio do Papa" que usei de exemplo era nada. Aqui era chumbo direto. Filhadaputice ou morte. Que coisa... Como me meto nisso...? Sei muito bem por que, mas penso nisso.

– Para dar uma aliviada em tudo, você não gostaria de jantar com minha família hoje? No meu apartamento. Mando buscar você. Saia um pouco daqui.

Olhei para o Ken e pensei por dois segundos: por que não?

CAPÍTULO 19

DESCOBRINDO UMA DAS CAMADAS INVISÍVEIS

Saí para caminhar um pouco. Estava dentro do hotel havia dias e precisava de alguma luz natural antes de encarar o jantar na casa do Ken.

Andei pelas ruas de Vera Cruz, da sua maior metrópole, e comecei a entender as discrepâncias desse país. As ruas pelas quais eu caminhava podiam tranquilamente ser ruas de Nova York ou qualquer cidade grande norte-americana. Os carros, as lojas, as pessoas apressadas andando na grande avenida que ficava perto do meu hotel. Tudo indicava um país pujante, sem os delírios que as camadas sociais demostravam. Se minha abordagem fosse pelo que eu via naquele momento, poderia dizer que a eleição estava

124

perdida. Quem ali votaria no nosso candidato cercado de preconceitos, desvios comportamentais, teorias de extrema direita? Quem pactuaria com isso?

Entrei em uma espécie de lanchonete que servia café no balcão e pedi um café. Esses lugares são os melhores para ver, sentir e entender os habitantes locais.

Um trio de senhores, com roupas típicas de alguma região de Vera Cruz, tocavam músicas tradicionais do seu estado, na calçada em frente à lanchonete. Achei bonito aquilo. Uma manifestação popular de artistas de rua que se encontra no mundo todo.

– De onde são eles? – perguntei ao rapaz que servia o café.

– Esse povo aí sai do Norte, mas o Norte não sai deles. É um inferno. Ficam tocando essa música de merda todo dia. Gente que tinha que ter ficado por lá.

Diante da resposta direta e carregada de raiva do meu atendente, me calei. Olhei atentamente para as características físicas dos três velhos músicos e para o atendente. Eram iguais. Eram certamente da mesma região. Vieram algum dia com o mesmo sonho de vencer no Sul e voltar para uma possível vida melhor na sua região, mas o que aconteceu com cada um? O atendente se acha hierarquicamente muito superior aos músicos. Talvez porque ele tenha a tal carteira de trabalho assinada, que entendi ser algo de muito valor em Vera Cruz. O mesmo povo, a mesma gente, alimentando um preconceito entre si que só os destrói. Isso não condizia com o lado agregador, divertido e humano que me venderam como a imagem de Vera Cruz. Via ali a incongruência dos cubanos de Miami odiando os cubanos de Cuba. O imigrante que consegue cidadania norte-americana e acha que é hora de dar uma dura na imigração ilegal.

São do ser humano essas características sórdidas de chegar a um lugar e não querer que outro chegue, mas em Vera Cruz havia um movimento invisível e pronto para explodir. Era mais forte e talvez nunca tenha sido posto à prova. O país vivia uma democracia jovem e cheia de sobressaltos. Quem não conheceu outro jeito de viver a não ser a democracia acha que aquilo é um direito natural, mas não é. A democracia é algo a ser mantido, regado, cuidado sempre. E aí, novamente você tem aquele pensamento: *Ele diz tudo isso sobre democracia e não passa de um mercenário em busca de dinheiro ajudando alguém como esse tal candidato a chegar na Presidência.* Novamente, respeito sua opinião, mas, tanto nos Estados Unidos como na Grã-Bretanha, tudo o que fizemos foi baseado em um estado de liberdade assegurada. Criar fake news, induzir o pensamento de um povo, é uma ciência, uma arte, e é isso que gosto de fazer, mas a liberdade institucional de um país é outra coisa.

Jogar dentro de regras é diferente de jogar sem regra nenhuma. Aí vira terra de ninguém, e isso é que eu precisava entender muito rapidamente em Vera Cruz. Não sou ingênuo, obviamente, mas para quem não é habitante desse país é um desafio entendê-lo.

De volta ao hotel, liguei para minha amiga Lara e relatei o jantar que teria com o Ken e sua família naquela noite. Lara me deu uma base de informações sobre o histórico do Ken. Diferentemente do Torre, que era o exemplo clássico do novo rico, a família do Ken já era dona de uma rede de supermercados espalhada por todo país/continente de Vera Cruz. O que o Ken fez foi modernizar a empresa, a marca e mudar de público. Certo. Inteligente da parte de um herdeiro. Eu havia sentido a diferença entre os dois principais apoiadores.

Encaminhei algumas coisas com minha equipe, principalmente a elaboração de uma fake news que irei citar depois, baseada no inexplicável medo do comunismo. Como já falamos, em pleno 2018, em Vera Cruz se falava em comunismo como se fosse algo possível ou que ao menos existisse de fato. Aí vi que em volta do Candidato existiam seres com ideias que conseguiam ser ainda incrivelmente piores. *Terraplanistas*, pessoas que pregavam que música levava ao satanismo, muitos fanáticos religiosos; isso tudo só para entender o mínimo do mundo louco que cercava aquela campanha.

O pior é que fui percebendo que por trás de todos esses conceitos absurdos estava ele. Meu sócio de 1%. O Mestre semeava essa cultura ideológica, *anticiência*, *antimundo*, integrava tudo isso em uma geleia global de ideias absurdas, e os seguidores conseguiam piorar ainda mais as teorias, afinal, cada um trazia o demônio que carregava dentro de si. O *slogan* "América para os americanos" do Trump era nada perto disso. O Mestre embaralhava as cartas e deixava que os loucos pegassem aleatoriamente qualquer carta. Para ele, o que valia era a adoração que ele criava sobre si. Louco por louco, vejo que o limite aqui é bem mais adiante.

O PAI DAS FAKE NEWS

O Mestre se mostrava um doido total. Nunca confiei nele, disse isso desde o início, mas o cara tinha uma bipolaridade absurda. Ele agia com simpatia e lucidez (aparente) na minha frente e depois apoiava a pior parte da loucura da família e dos seguidores.

O que havia por trás disso? Por que o homem que "não podia voltar a Vera Cruz" agia dessa forma? Estava claro que ele dominava aquela família, mas qual era o plano? Se ele não queria voltar para Vera Cruz, o que ele ganharia? Não seria meu 1%, certamente. E se ele fosse realmente alguém que acreditasse naquele caldeirão dos diabos?

Se eu fosse minimamente assustado, as constatações diárias iriam me tirar o sono e a respiração. Eu não tinha medo deles, mas me questionava o tempo todo até onde tudo iria chegar. Para quem vive no lodo moral coletivo como eu vivo, descobrir que o fundo do poço é só a tampa do alçapão é realmente muito elucidativo. Havia uma campanha pela frente. Eu só pensava nisso; depois tudo seria passado. Para mim, não para Vera Cruz.

CAPÍTULO 20

UM MUNDO PRÓPRIO

Cheguei ao jantar. Um apartamento realmente cinematográfico, considerando que tipo de filme seria aquele: logicamente um filme de altíssimo orçamento.

A senhora esposa do Ken era igualmente plastificada como ele. O filho, por volta dos trinta anos, era uma montanha de músculos, mas não seguia a linhagem plastificada da família; já a esposa, nora do Ken, era a Barbie em sua versão saída da moldagem do plástico. Algo inacreditável o que aquela menina fez com o rosto, mas, tudo bem, longe de ser o meu problema. A filha estava sozinha, mais velha do que o irmão, e era completamente natural. Estou frisando isso porque foi realmente chocante entrar naquela sala e ver a senhora Ken e a nora que, ao lado do próprio Ken, pertenciam à prateleira de bonecas da minha filha quando tinha doze anos. Mas e o que isso tem a ver com esta história? Pronto. Parei de falar sobre as plásticas.

A grande questão é que estavam lá, além da família do Ken, mais seis empresários apoiadores com suas respectivas esposas, com roupas que levavam a crer que iríamos a uma ópera, mas para mim uma surpresa para o anunciado "jantar com minha família", dito pelo Ken.

Apresentações feitas, todos desconhecidos para mim, mas com dicas muito claras de que estavam botando dinheiro no meu "cachê" e nas minhas criações de fake news.

Nada que eu já não tenha encarado muito na vida nos últimos tempos, isso era o de menos. Iria aproveitar o evento para fazer um levantamento sociológico da classe dominante de Vera Cruz. Estava ali uma amostra significativa.

Jantar perfeito, a dona da casa tentando exaltar ao máximo os museus que frequentou pelo mundo, as óperas a que assistiu com o Ken, tudo aquilo que se sabe não ser de bom senso. Ficava evidente que ela seguia um catálogo de "o que fazer para parecer culto". Longe de saber que ser culto é justamente trazer o novo para a conversa, trazer a cultura que dá sentido ao nome, afinal, estamos falando de ser culto, e não parecer culto. As outras senhoras claramente não ouviam o que a dona da casa falava, simplesmente porque, enquanto ela falava, as ditas pensavam na próxima frase que se encaixaria na pausa de respiração da anfitriã. Mais uma vez, nada que não seja normal nesse tipo de evento.

O filho estava apressado, mais preocupado em controlar a esposa, que parecia estar ali por obrigação (e estava), do que em participar verdadeiramente do evento. Logo após o jantar, deram desculpas e foram embora. O rapaz era piloto de corridas. Aquelas fórmulas sob encomenda para ricaços se desestressarem.

A interpretação sociológica viria após o jantar. Era essa minha aposta. E veio.

Sentamo-nos para uma degustação de conhaque e charuto.

A filha do Ken me surpreendeu fumando o puro, mas ao longe, um tanto afastada. Não entre os homens. Talvez fosse um código combinado na família, sei lá, mas era estranho vê-la afastada.

Um conhaque francês com um charuto cubano, nada melhor para a casa de um defensor da direita e com ódio do comunismo, cercado de outros igualmente combinados com a mesma linha de pensamento.

– Será que vou viver para poder ser sócio de uma fábrica de puros em Havana?

O Ken já demonstrava sua similaridade com os ricos norte-americanos querendo voltar para Cuba como donos dos patrimônios que lhes interessavam.

– Eu aproveito para fumar os "puros" enquanto eles ainda são puros – respondi. – Porque, quando entrarmos lá e aquilo virar realmente uma indústria, sabe-se lá o que fumaremos...

Fiz essa defesa baseado em interesse pessoal mesmo. Gosto de charutos, e os cubanos não são lenda, são o que existe de melhor. Começou aí a explanação do espírito, do "jeito Ken de ser".

O PAI DAS FAKE NEWS

– Pode até ser, mas se tem algo que percebi ao longo dos anos é que o povo precisa ser coordenado por quem tem uma... – Ele olha para filha, que desvia o olhar – capacidade superior de gerenciar o mundo. Imagino que uma fábrica de charutos coordenada por pessoas com essa capacidade superior irá funcionar diferentemente; com certeza muito mais produtiva e ganhando mercados no mundo, não daquela forma primitiva como trabalham. Eu visitei uma fábrica de charutos em Cuba. É coisa de outro século.

Os outros seis empresários concordaram com sons afirmativos que não eram propriamente palavras. As esposas, todas, estavam em outra *vibe*. Riam, de algo que jamais saberei, mas riam. Já a filha era a única atenta ao nosso assunto, mesmo assim misteriosamente ao longe.

– Eles já têm os mercados do mundo. São considerados os melhores charutos – disse eu, tentando argumentar.

– É tudo muito artesanal. Não é uma indústria.

– Eu iria a Cuba para outra coisa, não para fumar charuto.

Essa frase foi dita por um empresário um pouco mais velho. Disse com ar malicioso que empurrava a conversa para o tema da prostituição, tão conhecida em Cuba no período de Fulgencio Batista. A frase foi acompanhada por risos de todos, logicamente, menos da filha do Ken e de mim. Parece que perceberam a presença da filha do Ken e voltaram a falar em charutos, em "povo" e quem pode dar "um rumo" para o povo.

Falando de charutos, totalmente fora do tema central que me levou a Vera Cruz, eu entendia o pensamento do Ken, dos seus amigos e de toda uma camada de Vera Cruz que se mostrava naquela eleição. Para eles, essa "raça superior", essa elite, deveria coordenar o mundo e conduzir o "gado" para que ele não se dispersasse. Deveria usar a mão de obra desse gado para servir a essa classe privilegiada. Quem não era da classe privilegiada apoiava igual porque julgava que os "privilegiados" seriam melhores que os "populares" que tomaram conta do país e, segundo o consenso, assaltaram o país. Equação difícil para um estrangeiro entender. Diria que para qualquer pessoa entender.

– Quando mudamos o *target* da nossa empresa para uma classe vários níveis sociais acima, muita gente disse que não conseguiríamos obter sucesso porque já éramos conhecidos como "povo". Essa mudança aconteceu, e nós nos livramos justamente daquele "povo" que entrava em nossas lojas falando alto, criando confusão, e comprava só produtos baratos, de baixíssima margem de lucro. Hoje pertencemos a outro nível.

Assim a conversa transcorreu de uma maneira que eu considerava fazer parte da minha curva de aprendizado instantâneo de Vera Cruz. Eu tinha ido lá para isso. Não para jantar. Eu estava aprendendo, mas um tanto surpreso por ver que minha impressão do Ken da manhã daquele dia, o "quase arrependido" de ter entrado naquela campanha, era na verdade mais um engano da minha parte, assim como o Mestre. Vera Cruz era um país de surpresas permanentes, a começar por personalidades que se transformavam do dia para a noite. O famoso conceito de "o que se fala sentado não se repete em pé" era a regra ali. O Ken arrependido não existia; ele era, sim, um claro expoente de uma cultura que acreditava realmente na superioridade de "raça". Mas e o candidato dele? O nosso, quero dizer. Que superioridade de raça havia ali?

– É o preço, meu amigo. É o preço. Mas depois nós o moldaremos à nossa maneira.

Sim. Era o preço que eles aceitavam. Um candidato antitudo, que eles apregoavam por serem dominantes, iria representá-los.

– Eu acho "ele" o fim. Acho até bonito, mas, quando abre a boca, é um horror...

Essa frase foi dita pela senhora Ken, que se aproximou do grupo, ouviu o tema e se manifestou na sua forma orgânica de ver o mundo. Outra senhora se aproximou.

– Desculpe, senhor Benny, mas como conhecedor do presidente Donald Trump... O senhor trabalhou com ele pessoalmente... Poderia me tirar uma dúvida?

Todos se olharam com certa tensão pelo que viria. O fato de eu não fazer nenhum gesto deve ter significado para ela que eu responderia.

– Por que o presidente tem aquela cor de cenoura? É algum creme? Ele toma algo que o deixa assim?

Risos e protestos à parte, minha resposta foi um sorriso também e um "não tinha observado isso"... mais falso que uma nota de US$ 3.

As duas senhoras se afastaram, e os outros empresários encarreiraram comentários que iam do mais puro preconceito até conceitos impensáveis de serem ditos, mesmo em uma reunião considerada como privada. O que todos exprimiam era o menosprezo por uma classe que era a grande maioria de Vera Cruz: os pobres. Era como se precisassem reafirmar seus conceitos e sentimentos mesquinhos para que fossem aceitos naquele grupo.

Longe de mim ser ingênuo de acreditar que quem move o capital esteja preocupado com a base humana, mas isso começa a mudar em partes do mundo, e certamente aquele pequeno grupo que ali estava não representava esse pensamento. Era um glossário de palavras que incomodariam a qualquer um, menos a eles.

Chegou a um ponto que decidi quebrar a sequência e olhei para a filha que continuava ao longe.

– E você? – me dirigi à calada filha.

– Eu? Eu trabalho. Eu implemento os novos conceitos nas lojas.

– Mas o que você pensa sobre tudo isso?

– O que eu penso? – respondeu ela, lançando dúvida sobre minha pergunta.

Papai e mamãe ficaram claramente desconfortáveis. Na verdade, o grupo inteiro ficou desconfortável com minha fala.

– Quando se trabalha como eu trabalho, não sobra muito tempo para pensar – respondeu a moça, não dando espaço para o assunto continuar da forma que eu queria.

Era evidente que existia mais uma camada invisível escondida ali naquela relação familiar. O que teria aquela moça feito para ser refém daquela situação a ponto de não poder exprimir sua impressão sobre algo tão básico? O importante era que eu não

O PAI DAS FAKE NEWS

poderia mexer em subterrâneos, não quando isso envolve questões familiares tão próximas. Eram muitos subterrâneos presentes naquela sala perfumada por um bom charuto e com sabor de um bom conhaque.

Comecei os agradecimentos por tudo, sem tocar no mais importante: o aprendizado que eu tinha recebido naquela noite. Cruel aprendizado, mas nada totalmente inesperado. Eu não era ingênuo. Famílias são células com uma imensa capacidade de unir ou de explodir. Ali havia muito a ser desvendado, mas não era essa a minha missão. Era como se todos fossem da mesma família, e talvez fossem mesmo. Havia mais unidade no pensamento deles que em 90% das famílias geneticamente formadas.

Sobre família, já sofri demais com o tema, então jamais iria t entar entender aquela. Já me bastavam a do Candidato e a minha...

CAPÍTULO 21

A SURPRESA

Cheguei ao quarto pensando em tudo aquilo que havia aprendido no jantar. Não só no jantar, mas naquele dia. A caminhada pela rua, a atitude do Rapaz pedindo para o irmão levar os possíveis créditos, o dia, mais um dia naquela loucura toda. Pensava em tudo e pensava na minha solidão. O sentido (ou a falta dele) que a vida havia ganhado ao longo dos últimos dez anos. As escolhas que fiz e os resultados. A dubiedade das vitórias que às vezes parecem derrotas. A minha "casca", minha dureza diante dos fatos. Minha proteção que funcionava grande parte do dia, mas que às vezes era baqueada e me derrubava dentro de uma garrafa de uísque. Meus caminhos eram, no mínimo, estranhos. Consegui sucesso e dinheiro. Ponto indiscutível do meu objetivo, mas e o resto? O que perdi foi muito. Desesperadamente muito. O que ganhei compensou? Claro que não. Trabalhar era mascarar a dor. Eu sabia disso e tentava me agarrar a essa ponte entre o desespero

O PAI DAS FAKE NEWS

e o controle emocional. O momento era este: precisava conviver com gente como aquela. Onde estavam os verdadeiros seres humanos de Vera Cruz? Quem eram os caras legais, as meninas divertidas e inteligentes como Lara? Escondiam-se em qual camada?

Quando se está divagando, olhando literalmente para o teto, o som do telefone do quarto é um choque. Raramente tocava; quando isso acontecia, era como o que aconteceu no dia em que o Zangado e o Rapaz estiveram aqui e deu no que deu. Pois tocou. Atendi e disseram que... como vou chamá-la? Pelo acordo tenho que usar letras, números, apelidos (Ken, Torre...), então poderia dar um nome a ela: Débora. Sim, eu a chamaria de Débora. Não sei por que veio esse nome na minha cabeça na hora, mas veio. Então, a filha do Ken se chamaria Débora a partir de agora.

Lógico que você deve estar se perguntando o que a Débora, filha do Ken, estaria fazendo no *lobby* do hotel àquela hora, quase onze da noite. Eu também me perguntei, claro.

– Desculpe incomodar, senhor Benny, mas dona Débora está aqui e disse que o senhor atenderia – falava com a voz trêmula o rapaz da recepção.

– Sim... – Pausa. – Passe para ela, por favor.

– Você pode descer?

Fazer o que em uma situação como essa? A filha misteriosa de um dos homens que me pagavam estava no meu hotel com qual intenção? Mistério por mistério, só havia um jeito. Descer e enfrentar o que viria.

Ela sabia que era inusitada a sua presença ali, mas tentava dar um ar de normalidade. Pediu desculpas pelo horário e perguntou se podíamos tomar alguma coisa. Perguntei se ali, e ela respondeu que não.

Assim, o carro deslizou pelas ruas da maior metrópole de Vera Cruz até um lugar extremamente agradável, um *pub*, com uma luz linda, um ambiente requintado e aconchegante ao mesmo tempo.

Eu, até então, continuava sem saber o que acontecia. Ela tinha o comando e parecia segura. Confesso que, sendo uma pessoa que tem que decidir tudo a toda hora, começava a gostar daquilo.

– Saúde.

Assim brindamos. Ela tinha um sorriso realmente enigmático, o que me deixava com o olhar fixo no seu rosto.

– Você deve ter ficado chocado com o "jantar da elite", hoje.

Sorri também e entrei no clima dela.

– Poucas coisas me chocam. Cada lugar tem seu *timing*, seu jeito de comportar os egos, os interesses, os pensamentos.

– Retrógrados, arcaicos, criminosos até.

Ela realmente queria levantar a discussão.

– Pode ser, mas cada país tem sua elite, e essa elite tem suas características. Não me surpreendo.

– Só que aqueles que você viu hoje, meu pai, essa turma toda, não é a elite.

– Não…?

– Eles querem ser. Eles se imaginam ser, mas são o que você viu. Pessoas com pensamentos que só os levarão até um patamar em que conseguirão mais coisas materiais, mas não conseguirão ser uma elite de um país.

– E o que é a elite de um país, na sua visão?

– Aquela que é respeitada e reconhecida por outros países como a elite.

A resposta que ela me deu mexeu comigo. Havia uma clareza tão óbvia naquilo que eu não deveria ter chegado ao ponto de perguntar.

O assunto então foi para esse lado. Quem eram e o que queriam aquelas pessoas? Débora deixava claro que, se eles "engoliam" o nosso candidato, era porque tinham muito do DNA do próprio. Mais viajados, mais ricos, donos de jatinhos, nada pesava na linha da civilidade. Eram todos da mesma turma. Eram um pensamento só. Minhas fake news eram a verdade deles. Eu precisaria ter um pensamento muito rápido para não cair na vala comum daquela falsa elite.

– Você se refere à elite intelectual de Vera Cruz? – quis desvendar eu.

– Não. Além da elite intelectual, estou falando de gente de grana mesmo. Existem pessoas que unem o dinheiro à cultura e que podemos chamar, essas sim, da elite de Vera Cruz.

– E essas pessoas estão com quem nesta eleição?

– Aí é a pior parte. Estão caladas. Assistem da janela ao que vai acontecer e torcem para que tudo saia dentro de um *script* que não os prejudique. É a elite calada. Esses irão acordar tarde. Quando se derem por conta de que teriam que ter agido para impedir o seu candidato, já vai ser tarde.

Fiz questão de esclarecer que não era o meu candidato, mas não fez muito sentido o meu esclarecimento. A verdade era que duas mulheres, Lara e agora a chamada Débora, vinham me esclarecer mais sobre Vera Cruz do que toda a corja que encontrei.

Sempre confiei mais na habilidade das mulheres perante temas que têm muitas camadas, mas aqui era uma aula. As mulheres enxergam através de lentes que os homens não percebem sequer que existem. Era esclarecedor conversar com a filha do Ken, alguém que já tinha deixado claro que não era da mesma "panela" dos que estavam lá no jantar e que via a sociedade daquele imenso país como ela realmente era, mesmo pertencendo à casta dos que mandam.

– E por que você permanece... nisso?

Ela não moveu um músculo.

– Você, com sua clareza, não pertence ao mundo dessa falsa elite. Por que você não se posiciona de acordo com seu pensamento?

Débora respondeu calmamente, como se minha pergunta não tivesse sido um petardo direto no seu peito.

– Porque eu tenho um objetivo. Desde criança eu queria dominar a empresa da minha família. Não era eu a sucessora óbvia, mas fui estratégica. Me tornei importante e fiz a transformação que meu pai tanto citou. Eu vou chegar ao comando total e aí serei eu a demonstrar a que elite pertenço.

– Pretensões políticas?

O PAI DAS FAKE NEWS

O sorriso enigmático ficou mais lindo ainda.

– Por que não?

Tudo estava explicado. Que mulher! Ela aguentava tudo aquilo em nome de ganhar seu espaço, em nome da certeza de que um dia ela estaria em uma posição que não precisaria mais conviver com aquela turma de falsos cultos que decoram listas de museus e óperas, e aí ela poderia descartar quem quisesse. Mesmo que isso passasse por seu pai.

Era preciso reconhecer o talento daquela jovem, moça, sei lá como poderia dizer. Ela conseguia ficar suficientemente longe da lama que a cercava e não sujar as mãos, mas, acima de tudo, sem que eles percebessem seus planos de longo e longo... prazo.

Estava eu apaixonado.

E, acreditem, algumas coisas na vida não têm a menor explicação, mas minha paixão momentânea, meu desejo incontido, ou melhor, contido, levou nós dois para o décimo terceiro andar de um prédio belíssimo, para um apartamento envidraçado, com a vista espetacular da maior metrópole de Vera Cruz, e ao impensável naquele momento da minha passagem pelo país: para a cama gigante, adornada de lençóis de "um milhão de fios" que receberam dois corpos que se completaram até o amanhecer.

Saí da casa de Débora direto para o QG. Eu precisava encarar a falsa elite.

CAPÍTULO 22

UM NÍVEL ABAIXO

– Caralho!

Comecei meu dia assim. Todos se olharam.

– O Candidato aprovou e disse que era para "tocar adiante".

Quem me dizia isso era Darling, um garoto que também não se chamava assim, mas era muito próximo ao que realmente significava seu nome. Esse garoto passava a ser meu braço direito no processo. Era inteligente e tinha discernimento sobre o que era estratégia e o que era ódio puramente.

O que tinha à minha frente era uma legítima fake news, nada de pós-verdade como eu vinha apregoando. Era grotesca e tosca como a atriz supostamente (ridiculamente falsa) agredida pelo pessoal ligado ao nosso opositor. Na fake de agora, eles envolviam uma criança (o que já é cruzar a linha mínima requerida pela civilização), mas, acima de tudo, batiam na tecla de que o opositor incentivava a masturbação de crianças, a sexualização nas escolas

143

e a homossexualidade. Muito bem. Eu já sabia que Vera Cruz era diferente, mas até que ponto iríamos, já que faltava um bom tempo de campanha e o próprio Candidato e seus filhos infligiam temáticas baixas como essas?

– Sei que o senhor não os conhece bem, mas é o estilo, senhor Benny. De lá virão coisas assim, e sua estratégia será administrar isso com a sua verdadeira estratégia.

A frase foi dita no particular, quase um cochicho do garoto Darling.

– Ontem foi a atriz, hoje essa criança. É uma prova de resistência isso? São todos contra uma ação organizada, uma coordenação para ganhar essa eleição?

Darling deu de ombros como quem diz: *Pensei que o senhor soubesse...*

– Vou ligar para o Mestre; ele vai ter que achar uma forma de controle sobre essa gente ou não vamos conseguir trabalhar.

O olhar de Darling dizia mais do que o tempo que gastaríamos conversando. Eu mesmo dei a resposta para minha angústia.

– Não adianta eu ligar para o Mestre, é isso?

O garoto falou timidamente. Com medo real.

– Desculpe, mesmo, me perdoe porque eu preciso deste trabalho, mas... de onde o senhor imagina que vêm essas ideias todas?

Fiz um sinal de que entendia muito bem e também pedi para que Darling se tranquilizasse. Fui para minha sala, fechei a porta e liguei para o Mestre.

144

– Já entendi a parada e sei jogar esse jogo de vocês. Não me assustam. Esse subdesenvolvimento intelectual de vocês eu manjo bem e não tenho o menor problema de enfrentar e ganhar.

Incrivelmente, o Mestre tentou intervir e dizer que não era isso e... Interrompi.

– Jogo às claras, certo? Tem alguma coisa que não entendo ainda, entre elas o seu interesse em agir de acordo com a "síndrome do escorpião", mas, tudo bem, ninguém passaria aqui em um exame psicológico. Vocês se merecem, e se o povo de Vera Cruz se deixar ser enganado pelas propostas de vocês, das quais eu sou parte, é porque também merece se foder. A questão é: você tem que me deixar trabalhar e fazer algo para justificar a minha grana. O que você está fazendo com a turma do Candidato é literalmente jogar merda no ventilador. Primeiro, a atriz como se fosse uma pessoa desconhecida; agora uma criança, e vocês falando em sexualidade e um monte de merda mais! Porra! Segura sua neura aí na Virgínia e segura os monstros daqui porque sei que eles te respeitam. Vocês querem perder, é isso? Vim aqui para ganhar uma grana e perder uma eleição? Se é isso, me diz, porque aí eu vou ficar na piscina do hotel esperando chegar o dia da eleição.

Houve aquele tempo estratégico que eu já havia sacado há horas que era um jeito de o Mestre se valorizar.

– Meu caro Benny. Vou desconsiderar todas as ofensas implícitas na sua explanação, mas também vou ser claro com você como eu talvez não tenha sido até agora.

O PAI DAS FAKE NEWS

Era um momento tenso, mas que desaguaria para a verdade. Ou pelo menos parecia.

– Você não entende nada de Vera Cruz. Sua experiência prévia vale muito menos do que esses caras aceitaram pagar. E sabe por que aceitaram? Porque eu disse que valia a pena pagar seu preço. Você é a grife. Você vai fazer a parte "oficial", a pós-verdade, como você se orgulha de dizer, mas o que vai fazer esse povo todo se revoltar contra o candidato opositor é a baixaria. As fake news, não a pós-verdade. E aí o Candidato e seus filhos é que irão fazer o trabalho sujo, o sangue sobre o piso que irá abrir caminho para a vitória. Sua pós-verdade complementa, dá um tom, mas o chão, a lama que Vera Cruz espera, é o Candidato e seus filhos que conhecem e entendem. Não seja presunçoso de achar que você sabe fazer. Você não sabe falar com o *andar de baixo*, como você gosta de dizer. Por mais que eu tenha desavenças com eles, são eles que entendem a essência do pai e aonde ele quer chegar.

Pronto. Estava dito. Como já falei, não sou assustado, senão não estaria nessa posição, mas o Mestre era realmente uma pessoa ímpar. O cara "pseudamente" culto do restaurante com quatorze mil garrafas na adega com quem conversei na Virgínia era, na verdade, um especialista na compreensão da pior linhagem que existia em Vera Cruz. Tente se colocar no meu lugar, no meio dessa pocilga, e sentir que você não é tão diferente deles, por mais que acredite ser. Sim, sem sessão de psicanálise agora, mas eu era alguém do time deles. Não imaginava que teria um lugar no céu, mas minha cadeira no inferno parece que ficava graduada alguns degraus abaixo, ao lado do caldeirão. Vera Cruz tinha importado o lado podre (se é que algum lado não é podre) da campanha de 2016. As merdas andaram mais rapidamente do que qualquer outra ideia minimamente organizada.

– E não me venha com essa estupefação em relação a questões morais e éticas ou ao uso de criança porque você deve lembrar bem do caso do *pizzagate*.

O louco... Sim, eu me referia agora ao Mestre como louco, porque ele era mais concentrado na loucura do que o Candidato ou os filhos.

O *pizzagate* de que ele falava era uma teoria conspiratória que surgiu nas profundezas da internet e dizia que existia uma rede de pedofilia, liderada por Hillary Clinton (sim, isso mesmo), nos porões de uma pizzaria em Washington. A coisa começou com *e-mails* ligados a pessoas da campanha de Hillary Clinton que usavam a expressão *cheese pizza* e foram consideradas sinônimos de *child-pornography* – ambas com as mesmas letras iniciais –, e chegou ao ponto de um louco, armado, invadir a pizzaria *Comet Ping Pong*, voltada realmente para o público infantil, e querer saber onde ficava o porão em que havia pedofilia liderada por Hillary e os democratas. Ele deu tiros. Estava transtornado na crença dessa fake, fake, fake news.

O proprietário e os funcionários foram ameaçados, mas tudo veio de uma corrente incontrolável de doentes que se reúnem em *sites* de discussão ou na *deep web* para criar fatos como esses. O Mestre sabia, desde sempre, que isso não veio da campanha oficial

O PAI DAS FAKE NEWS

do Trump, mesmo que parecesse ter as digitais, mas era um setor muito mais além, muito mais abaixo, que ganhava vida própria.

Cheguei até a buscar, na época, informações, e nada levou a algo que fosse ligado ao grupo com o qual trabalhávamos, por isso faço a afirmação de que não era ligado diretamente à campanha, mas ressalto que qualquer afirmação nesse universo de campanha política é um tanto temerária. Dito isso, voltamos à história.

Talvez o que ele quisesse dizer era que já estávamos lidando com o segmento que desconhecíamos na campanha do Trump.

Não vou querer dizer aqui que fiz uma campanha "limpa" (nos padrões morais da civilização) para o Trump. Fiz uma campanha com difamação e fake news perturbadoras, mas sempre dentro de regras de um jogo pesado. Contra ou a favor de políticos. O que eles, os especialistas de Vera Cruz, estavam fazendo, com apoio do Mestre, era começar já nas profundezas. Aí eu me perguntava: onde ficaria a superfície? Será que ela existiria em Vera Cruz?

CAPÍTULO 23

UM PROBLEMA PARA CADA TIPO DE SOLUÇÃO

"Fique longe de pessoas negativas.
Elas têm um problema para cada solução."
- Albert Einstein

Todos que entraram no QG deram de cara com essa frase, escrita por mim, no quadro. A frase é atribuída a Albert Einstein, não por acaso minha fonte de inspiração em meio à montanha de problemas com que estou normalmente envolvido. Nada era mais verdadeiro para o momento do que "Eles têm um problema para cada solução". Era assim. E "eles" eram muito além da família e do Candidato. Era o Mestre que revelava

149

uma nova camada diariamente; eram os empresários da falsa elite que, com o passar dos dias, me deixavam menos técnico e mais afundado na merda em que viviam; era todo um contexto sórdido que é muito, muito desgastante.

Era um caminho doido, cercado de gente doida.

Contrabalançavam toda essa tensão meus encontros no envidraçado décimo terceiro andar. Eu e Débora adorávamos a sensação de "ilegalidade" contida naquilo, mesmo sendo ela uma mulher divorciada e eu idem. Não vou me alongar nas particularidades do décimo terceiro andar porque nosso foco é outro, mas juro que, apesar do prazer dos momentos (cada vez melhores), eu ainda aprendia mais e mais sobre a casta de Vera Cruz.

O pessoal ligado ao Candidato não seguia linha nenhuma a não ser do jogo raso. Muito raso. Mas era assim que eles eram. Se ao menos fizessem isso e nos deixassem em paz, mas não, cobravam de mim e da minha equipe como se fôssemos serviçais deles. Literalmente, criavam problemas o tempo todo para nossas soluções.

Paralelo a isso, minha vida nos Estados Unidos não estava nada fácil em função dos acontecimentos com a Analytica, mas isso não é o foco aqui. O importante é que, em Vera Cruz, se vivia em meio a uma profusão de dados que chegavam para mim, mostrando, ou tentando mostrar, a infinita quantidade de camadas sociais que envolviam o país.

Lara, volta e meia, falava comigo ao telefone (por algum motivo, desapareceu do nosso encontro para "o uísque") e dizia que eu reagia com tanta surpresa às pesquisas que notava que ela até poderia acreditar que eu falava a verdade. Na opinião de Lara, eu era um fingido ou até um psicopata como o Mestre, porque havia feito "horrores", segundo ela, no Trump e no Brexit, e agora ficava tendo ataques morais por estar em um país abaixo da Linha do Equador. Para ela, eu fingia tudo que sentia. Na verdade, é difícil de explicar mesmo, porque, como já disse muitas vezes aqui, eu não seria aceito em qualquer concurso de "bom moço", mas todo ser humano desenvolve algum tipo de caráter (alguns duvido, mas…), e eu tinha minha linha de conduta que era minha bússola moral. Eu acreditava que poderia ser bom entre os piores. Como li em um livro de um escritor latino-americano que não lembro agora, mas era muito bom: *"Cuando pocos son los buenos, Dios ayuda los malos"*. Me sinto nessa posição no mundo. Não sou o bom, mas não estou na categoria dos *"malos"*.

– Se "damos sempre preferência para aquilo que nos identifica, para aquilo que nos parece familiar", qual a explicação para a *fake* do Zangado, sobre o candidato opositor incentivar a sexualidade infantil até a pedofilia, ter dado certo?

Essa pergunta foi feita por Darling em uma reunião diante de toda a equipe. Parei, olhei em volta, olhei em direção ao Torre Eiffel, que havia voltado para as reuniões, olhei para o Rapaz, que também dava o ar da sua graça, olhei para o rosto de um por um e respondi:

– São essas constatações que me assustam a cada novo dado que recebo em Vera Cruz. Poderíamos ver esse fato como ódio contra a possibilidade da exploração psicológica, contra a condução educacional que, supostamente, dirigiria crianças para um caminho mais sexualizado do que o de costume para faixa etária, mas, quando pesquisei os fatos, mesmo que eles sejam somente fatos (algo pouco útil nos dias de hoje), e vi que as acusações são baseadas em nada, como foi o *pizzagate* na eleição do Trump, aí eu me fiz essa mesma pergunta, Darling: o que leva as pessoas a repassarem adiante uma fake news como essa? Isso não é uma pós-verdade, é uma fake news clássica. O que leva alguém a ter familiaridade com uma notícia dessas e querer repassar?

O Rapaz deu um sorriso como quem diz: "Eu sabia, por isso deu certo".

– Mas e o caso da pizzaria? Não era a mesma situação? – atalhou o Torre.

– Vinha de uma fonte praticamente de *deep web*, mais lodaçal do que suponho estar convivendo aqui, pelo menos suponho, e naquele caso fazia com que quem repassasse a notícia se sentisse estar fazendo um bem para as crianças, evitando "cair nas garras dos democratas pedófilos".

– Mesmo caso daqui! – disse o Rapaz.

– Pode ser. Pode ser. Mas não me parece. Aqui a postagem é mais cruel, a começar pela foto, utilizando uma criança e... não sei. Preciso digerir isso.

– O senhor é muito bem pago para isso.

O Rapaz estava aumentando sua escala de ataques a cada dia.

– Sou pago para achar soluções para problemas, e não problemas para soluções, como vocês fazem.

Todos olharam para o quadro na parede com a frase de Einstein que eu havia escrito.

– Nós disputamos a atenção das pessoas. Por isso nossas fake news se tornam cada vez mais uma mistura de entretenimento e notícia. O público pede isso. Assim surgiram os *reality shows*. Alguém aqui acredita em um *reality show*? Todos sabem que estão sendo enganados por um roteiro predeterminado, mas fingem acreditar porque convém. É a mistura da mentira com o entretenimento fingindo ser verdade. Mas quando me perguntam como algo tão sórdido como falar de crianças em uma temática tão delicada como a sexualidade pode ser um sucesso de compartilhamento, eu não sei o que responder, por mais que me paguem muito bem, como diz o Rapaz. Sou pago para pensar e agir, não para tratar do inconsciente criminal coletivo.

– O senhor fala como se não tivessem inventado que o Estado Islâmico votaria na Hillary – provocou novamente o Rapaz.

– O Estado Islâmico não vota, Rapaz.

– Sim… estou me referindo à notícia de vocês de que o líder pediu para os muçulmanos norte-americanos votarem nela.

– Isso é jogo. Fizemos isso, sim. Isso é jogar com armas de uma eleição. O *pizzagate*, se tivesse sido criado por nós, sim, seria criminoso. Tentar atingir a imagem da Hillary era do jogo. Ela entrou na eleição sabendo que viria chumbo do outro lado. A aceitação foi de 75% para essa notícia. As pessoas adoraram ler que eles apoiavam a Hillary, mas falávamos de uns crápulas como o Estado Islâmico e da nossa opositora, não de crianças.

O Rapaz se sentiu ofendido e se levantou. Pegou o casaco e foi em direção à porta, constrangendo todo mundo na sala. Eu, que já estava puto com ele, decidi dar uma pedrada na nuca:

— Você já vai?

Ele se voltou para mim com um ar de quem não esperava essa pergunta.

— Por quê?

— Porque achei que teria tempo de falar com você depois, mas, como você já vai, queria lhe dizer que aquele seu pedido será aceito pela minha parte. A campanha, ainda mais como está sendo conduzida agora, vai ter todos os méritos creditados para a pessoa que você pediu. Fique tranquilo.

Todos os pares de olhos da sala se voltaram para mim na esperança de entender a frase. O Rapaz realmente não estava armado naquele momento, pois, se estivesse, teria atirado em mim, tamanha a raiva que ele expressou secretamente.

— Do que vocês estão falando, porra? — lançou o Torre.

— Acordos. Ajustes pessoais. Nada que envolva você diretamente. Só queria dar o recado ao nosso jovem filho do futuro presidente do país.

O Rapaz estava vermelho. Eu, com um prazer que só perdia para os momentos vividos com Débora no décimo terceiro andar, dei a tacada final.

— Tem gente que acredita na idiotice de que o sapo, dentro de uma panela com água sobre o fogo, aquecendo lentamente, vai se acostumando até ser cozido. É mentira. O sapo pula fora quando sente que mudou o limite do suportável. Eu, na minha vida, me inspiro no sapo, mas ajo diferente. Eu viro a panela quente sobre a pessoa que tenta me ferver. Isso é mais educativo do que somente pular fora.

O Rapaz virou as costas e saiu. Todos se olharam. O Torre, logicamente ele, deu uma gargalhada e lançou:

– O Candidato sempre age assim. Tem um montão de sapos cozinhando o tempo todo, mas o forte do homem é a fritadeira. Ele precisa fritar o tempo todo. – Deu uma gargalhada a mais.

– Sempre tem um fogo aceso embaixo da nossa panela. É normal. Mas imbecil é quem acredita que eu não sei disso e que vou me acostumar com o calor da água – arrematei.

– Gostei. Vou usar essa do sapo na minha empresa.

Era o Torre tirando proveito das minhas imbecilidades.

CAPÍTULO 24

EM NOME DA PÓS-VERDADE

Mais um dia árduo, porém a noite tinha sido uma recompensa dos deuses para as agruras do dia. O Rapaz havia escapulido da última reunião e não deu mais sinal de vida, o que não quer dizer nada. Voltaria, e com mais força e ódio, mas é da vida, principalmente desta em que me meti, e não vou querer aqui livrar minha cara, pois foi onde consegui chegar com meu talento. A vida escolhe, não a gente.

"Minha carreira não foi determinada pela vontade, mas por vários fatores sobre os quais não tenho nenhum controle."

Não escrevi no quadro do QG essa frase, mais uma considerada de Albert Einstein (digo isso porque há muitas fake news por aí...), mas a verdade é que ela resumia minha existência.

Não sei como cheguei até aqui, mas cheguei. Se vou ser "garfeiro-chefe" em um caldeirão no inferno, também não sei, mas sou o que sou. Meus méritos, eu não escondo (talvez apenas meus defeitos...), mas sempre soube trocar a falta de tempo por foco e, assim, consegui tempo para fazer aquilo que os outros achavam que não podiam, porque não tinham justamente esse tempo. Fui confiando em mim e acreditando, mais que os outros, que conseguiria. Errei muito, mas já que o gênio está sendo citado, digo que me amparei em outra frase dele: "Uma pessoa que nunca cometeu um erro nunca experimentou nada novo". Eu cometi, vivenciei e vivencio o novo e o erro, mesmo que eu seja condenado por isso.

Pois eu apresentava para minha equipe algumas das estratégias a serem seguidas.

– A nossa busca é pelos persuasíveis. Aqueles que os dados apontam como possíveis de embarcar em uma nova ideia: a nossa. Os simpatizantes da esquerda, os convictos, não irão mudar a nosso favor, mas nós não precisamos deles. Precisamos dos persuasíveis. Vamos dividir cada região de Vera Cruz em áreas, e dentro dessas áreas os algoritmos nos dirão o número de persuasíveis em cada uma delas. Isso tudo com base nos dados que obtivemos e também com base nas informações que pescamos por meio de nossas "ingênuas" pesquisas. O quiz sobre pessoas que conhecem os hábitos de sua própria família é um grande elemento de base dos persuasíveis. Eles entregam a vida pessoal e a da família inteira sem a menor desconfiança.

– Tem um quiz aqui que é sobre "montar a vida dos seus filhos" – disse Darling.

– Sim. "Monte sua viagem." "O que faria se fosse rico?" "Quem você levaria para uma ilha deserta?", e aí há uma infinidade de dados que podem ser pescados, além daqueles que estamos comprando, no mesmo processo em que compramos a base de dados nos Estados Unidos. O cruzamento desses dados nos levará a conteúdos personalizados. Esse conteúdo personalizado soará como "música" aos ouvidos dos persuasíveis.

Projetei na tela da sala de reuniões cenas de grandes árvores sendo derrubadas em uma floresta.

– Os dados falam sobre a grande parte de persuasíveis que veem a questão ambiental como uma ação da esquerda. Como se a esquerda exagerasse o tempo todo sobre a destruição das florestas de Vera Cruz com o objetivo de trancar o progresso e proteger minorias que, sob a ótica dos persuasíveis, deveriam realmente sumir do mapa. Aí, mostraremos esta imagem, somente ela, que poderia acontecer em qualquer lugar do mundo, e a *headline*, o chamado, dizendo que o marido da candidata da área ambiental é um dos grandes desmatadores que vendem mogno para o exterior enquanto a esposa prega que as florestas devem ser protegidas.

– Mas ela está em décimo lugar nas pesquisas. Para que gastar energia com ela? – perguntou o Ken, sim, o pai da Débora, presente na reunião.

158

– Aí é que está a estratégia. Ao minarmos a confiança em alguém com uma imagem tão inatacável, estamos minando a confiança nos fatos, e aí o que passará a interessar são os "nossos fatos". Não há sempre uma relação direta de causa e efeito. A negação de fatos estabelecidos, como a questão ambiental, é tudo que parte dos persuasíveis querem ouvir. Temos que criar um clima de conspiração permanente.

– Nisso o Candidato é mestre! – deu uma gargalhada o Torre.

– Essa paranoia se constrói pela destruição de fatos que representem uma verdade consolidada e da construção de novas dúvidas. Isso faz com que o persuasível se renda à pós-verdade que vamos mostrar a ele. Primeiro se destrói a confiança, depois se aplica a fake news.

– O senhor poderia dar um exemplo da próxima fase, a da nossa pós-verdade aplicada?

A pergunta veio de um dos rapazes que pouco se manifestavam. Chamei a próxima tela. Todos olharam para o equipamento eletrônico usado para votar em Vera Cruz.

– Algumas coisas estão entregues "na bandeja" aqui em Vera Cruz para serem usadas como fake news. Para qualquer persuasível, é lógico e transparente que, se em um país desenvolvido como os Estados Unidos o voto é em cédulas de papel, independentemente do complexo modelo de delegados, mas é em papel, por que em Vera Cruz é o "mais avançado do mundo"? Totalmente eletrônico. Não precisa nada de esforço para semear a dúvida na cabeça de um persuasível de que isso possa conter manipulação.

O PAI DAS FAKE NEWS

É uma dúvida fácil e uma teoria conspiratória mais fácil ainda. Aí nós, depois de termos destruído as convicções dos persuasíveis sobre temas consagrados como o meio ambiente, que vocês acabaram de ver, vamos lançar esta peça: ao apertar o número do nosso candidato, muitos dos equipamentos estarão programados (pelos *hackers* da oposição) para registrar o número do nosso opositor. A cada três votos no nosso candidato, apenas um valerá. Dessa forma, precisaremos de mais e mais gente votando no nosso candidato. Mais e mais votos para valer um: o nosso. Essa onda se espalha e vai ao ponto de alguém implorar a um amigo, familiar, pelo voto no nosso candidato para que o dele valha, afinal, a cada três votos no nosso candidato, somente um será realmente para nós, os outros são parte da vitória do "maldito equipamento bugado". Feita a conspiração.

"Isso é estratégia. Isso é pegar o que existe e transformar em uma fake news. A paranoia é nosso terreno fértil. Para efeito externo, a conspiração é 'sempre contra nós', apesar de sermos nós que estamos conspirando. Vamos negar a verdade estabelecida até agora. Vamos negar a ciência, a arte, vamos insistir em uma verdade que é nossa, vamos transformar esta eleição em um evento apocalíptico em que, se nosso candidato não ganhar, o país terá dia e hora para acabar. O medo, que não estava claro, agora é uma realidade. A nossa realidade. Descobrimos o perigo da conspiração contra nós. Assim, o persuasível irá dizer: 'Vou salvar este país. Nunca fiz nada importante na vida, mas agora vou fazer!'. Como seguidores de uma seita que caminha para um lugar prometido, todos irão se multiplicando e repetindo o mantra. Assim será a onda desta eleição. Venceremos utilizando a paranoia dos eleitores, a desconstrução da ciência e da cultura em nome da nossa fake news. Vamos acusar os que nos acusam. Vamos culpar os que nos culpam, e aí eles serão os culpados."

Os aplausos vieram, e meu celular, no silencioso, mostrava uma mensagem de Lara: *Preciso falar urgentemente com você.*

CAPÍTULO 25

O DESESPERO DE LARA

Cheguei ao *lobby* do hotel, e Lara estava em pé, no meio do saguão. Pela sua expressão, percebi que algo estava muito fora de ordem. Lara não era de demonstrar suas emoções, mas, naquele momento, não parecia ela. Olhei em volta e a convidei para sentar-se. Na hora, ela me respondeu que não poderíamos falar ali "no antro da bandidagem", segundo ela.

Saímos e fomos para uma Starbucks (sim, sempre a Starbucks em minha vida), e percebi que ela queria um lugar público e anônimo para nossa conversa. Sentamos, e ela foi direto ao ponto.

– Os filhos da puta para quem você trabalha vêm me perseguindo há tempos, você sabe disso, e eu não dou a mínima porque eles latem, latem, mas são covardes. Já aprontaram cada coisa primária que tenho até vergonha de repetir. Nunca fui de me assustar com coisas desse tipo, mas agora eles passaram do limite.

Ela estava realmente nervosa, e se ela recorreu a mim era porque eu teria algo a fazer; isso era o que realmente me preocupava.

– Minha filha – Fez uma pausa –, minha filha tem treze anos, está naquela fase da adolescência, e qualquer coisa diretamente com ela causa um efeito inesperado. Pois ela fez uma peça de teatro no colégio, uma peça de prevenção ao consumo de drogas nas escolas. Ela fez uma personagem adolescente drogada.

Lara me mostra o celular, e as imagens são montagens da garota drogada, jogada no chão, uma montagem tosca com uma calçada e a fachada da escola ao fundo. Ela lê para mim enquanto passa pelas fake news publicadas:

"Jornalista de esquerda, que defende a liberação de drogas nas escolas, agora tem a própria filha como vítima."

Lara guarda o telefone.

– Você tem ideia do estrago que isso faz na cabeça de uma adolescente? Toda a escola vendo isso?

Eram publicações primárias e malfeitas, mas que funcionam na destruição da imagem de uma pessoa que lida com a informação e a credibilidade, como Lara.

– E... de onde vem todo esse ódio deles por você, especificamente?

– Eles têm ódio de qualquer jornalista, mas no meu caso vem da reportagem que fiz no início do ano sobre a presença de milicianos nos gabinetes da família. A reportagem mostrava indícios

O PAI DAS FAKE NEWS

do envolvimento de pessoas que trabalham para o seu candidato, para os filhos, com esses grupos, e aí bateu o pavor neles. Existem muitos indícios sobre isso, e eu só não tenho as provas evidentes, mas a reação deles mostra o quanto o tema é próximo ao grupo. Eles não têm inteligência suficiente para fazer o jogo de que não é com eles, ao contrário. Trouxeram para dentro do grupo uma insinuação, e trouxeram como uma confissão de culpa, criaram provas contra si, algo que ninguém faria.

– Sei... E o que você espera de mim? Que eu pegue o primeiro voo? Resolveria se eu deixasse esses caras sozinhos? Claro que não. Todo o serviço sujo eles fazem sozinhos. Quer saber? São mais talentosos que eu. Vou acabar admitindo isso.

– E você faz o "serviço limpo"?

Era Lara me alfinetando como sempre. Mesmo naquelas condições ela não perdia uma oportunidade. A síndrome do escorpião era algo presente, inerente na alma da minha amiga.

– Não acredito que seja hora para discutir isso.

– Tá certo. Desculpe. Não estou em condições de analisar nada, mas a verdade é que isso realmente me atingiu. Não sei... não sei o que fazer. Eles são incontroláveis, sentem prazer no que fazem, então fico pensando em como vou administrar isso com minha filha.

– Eles lançaram esse material agora...?

– Agora e continuam colocando mais fake news. Eu não vou me demitir do jornal. Não vou sair de Vera Cruz por medo dessa gente, pelo menos não agora.

– Você tem algo que realmente os comprometa?

– Não. Não é fácil chegar a provas. Tenho minhas fontes, mas é um terreno muito perigoso.

– Você... Sei que é difícil prever, mas você acredita que terá provas até a eleição?

Lara fica completamente irritada com minha colocação. Me acusa de estar querendo proteger meu cliente. Era compreensível sua reação, mas eu tinha um plano.

– Lara. Lara! Me ouça! Não reaja antes de entender.

Ela se acalmou um pouco. Eu ia poder continuar minha explicação sem que a Starbucks inteira ouvisse nossa crise.

– Você não tem a prova que os incrimina, mas eles acreditam que você tem, senão não entrariam nesse pânico, certo? A partir daí é comigo. Deixa comigo, que essas publicações vão parar. Me dá um tempinho, que resolvo isso para você.

Lara olhou para mim como que tentando desvendar a trama em que eu me meteria por causa dela. Era uma prova de amizade que, acredito, ela não esperava. O importante é que ela estava mais calma.

O que fiz imediatamente foi ligar para o Mestre, que era quem coordenava a loucura toda. Solicitei uma reunião para a manhã seguinte no hotel. Com os irmãos. Tive que botar o terror para fora. Ameaçar mesmo. Disse que era uma questão que implodiria a campanha se não tivesse a presença dos *queridos* ali na minha frente, no dia seguinte.

O PAI DAS FAKE NEWS

O Mestre tentou arrancar de mim que tema era esse tão explosivo, mas eu sabia que, se adiantasse algo, não teria os irmãos na minha frente. Eu queria falar olho no olho. Seria bom para todos e queria esse mérito na minha conta. Mesmo que não fosse real, mas o que importava o que era real naquele momento? Éramos todos uma pós-verdade.

– Senhores. Agradeço a presença de vocês aqui, mas realmente existem momentos que são delicados, e a gente precisa agir rapidamente.

Os dois ali na minha frente e o Mestre pelo Skype. Acresciam ao evento o Torre e o Ken. Eu sabia que precisaria deles para acalmar o time. O Zangado me cumprimentou com um monossílabo que não entendi, mas deveria ser um "oi".

– Fui criticado duramente por manter relações de amizade com a jornalista Lara. – Não vou dar o sobrenome em função do acordo ridículo de que já falei... – E acusado de passar nossas informações confidenciais para ela. Relembro que, se eu fizesse isso, estaria assinando o maior atestado de ignorância, pois estaria doando algo que custa muito dinheiro e em troca de nada. Porém, fui estratégico, como deve ser alguém na minha função – a cada autoelogio, os irmãos se reviravam nas cadeiras –, e usei Lara como uma fonte. Ganhar a confiança de uma fonte adversária é uma arte difícil de ser executada, é algo que poucos conseguem, mas eu consegui.

Meu propósito de incomodá-los com os autoelogios era porque o que viria logo a seguir iria mostrar que, por mais que me odiassem, teriam que aceitar minhas condições.

– Encurtando a história, lhes digo que, se não fosse uma reunião que tive ontem com a minha fonte, essa campanha terminaria hoje.

A pausa era estratégica. O Torre já estava quase em cima da mesa.

– Lara tem provas da ligação de vocês com as milícias.

Agora era uma pausa para uma bomba. Faltou oxigênio nos pulmões dos presentes.

– Você viu essas provas? – perguntou o *laptop*, quer dizer, o Mestre no Skype.

– Vi o bastante para saber que são reais. Lara é suficientemente inteligente para não perder o trunfo.

Os irmãos estavam imóveis.

– Ela quer o que em troca? Se é que quer? – perguntou o Ken, já calculando os prejuízos.

Olhei para todos.

– A princípio, ela queria implodir tudo. Meu trabalho foi árduo para tentar demovê-la, mas nada servia como moeda de troca.

– Como não? Nós fodemos com aquela vagabunda nas redes sociais! – Foi a frase do Zangado.

– Pois é, eu vi. Só que isso não causou efeito nenhum nela. Lara é uma mulher acostumada com esse tipo de ataque e ela está se lixando para o que dizem dela ou da família.

167

O PAI DAS FAKE NEWS

– Mas nós não temos nada a ver com isso de que ela está nos acusando – o Rapaz lançou, com um ar próximo ao descontrole.

– Não sei. Se você está dizendo, eu acredito, mas a verdade é que, como já falei várias vezes, os fatos valem menos que as versões. Como ela conseguiu essas "versões" eu não sei, mas são absolutamente críveis.

– Mas ninguém vai acreditar nas versões fake dessa vagabunda – disse o Zangado.

– Ninguém? Nós não estamos aqui trabalhando 24 horas por dia para que o povo de Vera Cruz acredite nas versões? Você teria essa confiança? Arriscaria tudo? Pagaria a aposta para ver se as provas que ela tem não convencem a imprensa e os eleitores?

O Zangado murchou na cadeira enquanto os outros dois olhavam para ele.

– Ela quer dinheiro? – disse Torre na sua lógica.

– Não. Uma mulher dessas a gente não compra com dinheiro.

– Todo mundo se vende por dinheiro.

Era o Mestre achando que dava uma estocada em mim. Que hora para dizer aquilo? Que condição para falar aquilo?

– Nem todos, Mestre. Alguns valem muito; outros, percentuais muito baixos, perto de zero; e outros não se preocupam com dinheiro.

O prazer de dar uma estocada de volta no 1%.

– Pois vou ao ponto positivo a nosso favor e ao resultado que consegui depois de muita negociação: até a eleição, ela não publicará as provas. Após a eleição, vocês estando no poder, terão mais condições de influenciar talvez no Judiciário, na polícia, sei lá. Essa é uma área que não conheço, mas acredito que vocês tenham planos bons para isso. Agora, antes das eleições, seria um desastre.

O silêncio era imobilizador. Eles realmente não pareciam respirar.

– Usei minha influência e o conhecimento que tinha dela desde os tempos de Washington e consegui com que ela segurasse essa publicação em nome do pedido que fiz.

– Ela não faria isso. Ela não deixaria de publicar só porque você pediu – disse o Zangado.

– Você tem razão. Parece inacreditável que alguém tenha essa influência que eu tive, mas se vocês não acreditarem em mim, arrisquem e joguem tudo fora ainda nesta semana, pois nenhuma candidatura sobrevive ao pouco que vi.

O Zangado tossiu. Não sei por que, mas tossiu. Talvez nervos. Levantei-me, encerrando a reunião. Depois, como se fosse algo muito casual, voltei-me na direção dos irmãos.

– Ah. Duas coisas. Lógico que vocês já entenderam que todos os ataques proferidos a ela serão apagados hoje e que nada mais será publicado até a eleição. E a segunda coisa é: rezem.

Todos se olharam ao ouvir o "rezem".

– Rezem pela saúde da Lara. Rezem para ela não ser atropelada, não torcer um pé, não pegar um resfriado, porque as provas que ela possui estão fora do Brasil, prontas para serem publicadas a qualquer espirro suspeito da minha fonte. Espero ter sido útil e valido o valor do meu cachê.

O PAI DAS FAKE NEWS

Saí caminhando calmamente pela porta, em direção ao *lobby* e pensando na vida. No mundo das fake news, uma mentira como a que apliquei vira uma verdade absoluta. O medo fez com que as hipotéticas provas pudessem servir de "cala boca". Foi arriscado? Poderia ter sido descoberto se eles não tivessem culpa? Poderia. Mas tudo é arriscado nesse meio. Assim como Lara, também não tenho provas contra eles, mas tenho intuições, e isso já basta para condenar em meio à paranoia de Vera Cruz. Ali tudo era uma pós-verdade gerada por teorias conspiratórias.

A paranoia manda nos que têm medo de alguma coisa. Assim, ganhei mais um *round*.

CAPÍTULO 26

POBRE DESCARTES

Os idiotas, os mesmos que menosprezavam a ciência, o conhecimento, a cultura, a base civilizatória, se multiplicavam em Vera Cruz e impulsionavam a pós-verdade, mas muito mais as fake news do Zangado e sua turma. Eu estava perdendo de goleada para ele. Suas fakes rasas faziam sucesso.

Eu podia perder para o Zangado no resultado imediato, mas não no longo prazo. Os algoritmos, tantas vezes endemoniados por gente que pensa, eram na verdade uma ferramenta para localizar idiotas, e os idiotas se multiplicavam na onda que eu havia previsto. Externamente, eu ainda os chamava de persuasíveis, mas nas relações internas, incluindo aí boa parte da minha equipe, eles eram os *idiotas*. Aqueles que só recebiam notícias falsas ou deturpadas porque queriam. O jornal, a TV, os veículos com tradição e jornalistas reais contratados estavam ali ao lado deles, mas nós os convencemos de que tudo que ouviam e liam era parte de

O PAI DAS FAKE NEWS

um plano gigante de uma conspiração catastrófica que iria acabar com suas vidas com dia e hora marcados.

– Até hoje, me surpreendo com a capacidade do ser humano de negar o pensamento mínimo. É como aquele senhor que depois de oito meses sobre uma cama se recusa a fazer fisioterapia e fica atrofiado. Os cérebros estão atrofiados coletivamente. Eu só existo porque os cérebros ficaram atrofiados. O vocabulário limitado, a falta de análise mínima de uma situação, a ignorância como algo natural, tudo toma conta dos indivíduos, e eles passam a achar o absurdo o novo normal, afinal, eles são o absurdo. Vivem como corpos que precisassem de muito pouco oxigênio para sobreviver, quando na verdade o oxigênio deles, o pouco oxigênio, é o pensar. O cérebro, notadamente, sempre vai procurar soluções mais fáceis e curtas. O que o faz funcionar (e o cérebro quer isso secretamente) é a informação nova vinda da arte, da ciência, da notícia verdadeira, dos fatos que exigem alguma análise.

"Isso está disponível, mas o algoritmo faz o papel de vilão porque, na verdade, só entrega aquilo que é pedido. O algoritmo é um entregador de pizza, e a pizza que ele entrega é a ignorância que tanto traz prazer para essa parcela de eleitores. Isso acontece não somente em Vera Cruz, logicamente, mas nos Estados Unidos, na Europa um pouco menos, mas também estão por lá. *Mens sana in corpore sano* não se aplica a nossos persuasíveis. Podem até ter um corpo são, fazer exercícios (normalmente além da média), mas fica nisso. A mente pertence a nós. Pertence a quem os manipula."

Terminei esse meu longo relato verbal, quase uma divagação sobre a raça humana, ou no que ela se transformou, e Débora olhava para mim fixamente segurando um cálice de um espetacular vinho cujo nome, obviamente, como vocês já perceberam, não lembro.

– Sabe do que mais gosto em você?

Frase perigosa essa, ainda mais dita por uma mulher como Débora.

– É que você racionaliza a canalhice em que está metido de uma forma que tudo faz sentido. Eu acharia você um idiota se fosse alguém convencido do que faz, como talvez meu pai seja. Você não. Você sabe o que está fazendo, com o que está mexendo, com quem está lidando e tem o discernimento de saber para que bando imenso de idiotas está falando. Isso me excita. Me deixa... até apaixonada – ela ri. – Esse seu domínio sobre "a banda podre da vida", conseguindo ter a sua própria visão *outsider* de tudo, é que me deixa fascinada. O mundo não precisa ser de pessoas inteligentes, mas você mostra que o mundo é feito em grande parte por pessoas que se limitam a acordar, respirar, ir ao banheiro, comer, se exercitar e não pensar. O importante é não pensar.

Débora também era boa de argumentação.

– E navegar na internet. Você esqueceu o principal. Comer, fazer exercícios, isso tudo é uma consequência da internet. Essa é a mudança. A alergia, o medo do glúten e da lactose não vieram de um médico, mas da internet. Talvez um mau médico na internet, mas não importa, o canal é a internet, a mesma que me dá dinheiro e fama. A culpa não é dela, é das pessoas que, abusando do direito de *não pensar*, incluem cada vez mais bobagens inimagináveis nas redes sociais, e aí nossos amigos algoritmos vão lá e captam tudo de que precisam. Os idiotas ou os persuasíveis, como vendemos nas reuniões.

– Você acha que um persuasível não tem noção de estar sendo manipulado?

Débora fez essa pergunta diante da imensa janela de vidro do décimo terceiro andar de que tanto já falei. A figura dela, com uma camisa branca que servia como uma espécie de minivestido, com um lindo cálice de vinho na mão e quase silhuetada contra a maior metrópole de Vera Cruz, era algo que minha mente *sana em corpore sano* jamais iria esquecer. Havia outros detalhes íntimos que não vou narrar aqui porque trato essa história como um selo raro que precisa ser manuseado com luva de pelica. Não posso me empolgar na descrição de um ato privado entre um homem de meia idade e uma mulher um pouco mais jovem, linda, atraente, sexualmente exuberante e com inteligência suficiente para levarmos esse papo. Ela sabia que inteligência não era a quantidade de informações adquiridas, mas a capacidade de discernimento entre o que é relevante e o que não é. Isso me atraía mais do que tudo. Suas ideias loucas de vez em quando, suas "furadas", nada me preocupava, o que me atraía em Débora era a sensatez. Eu sabia quem ela era. Ela sabia quem eu era. O resto – pai, mãe, irmão, cunhada – era tudo um contexto em que ela convivia, mas não mergulhava um centímetro além da superfície. Ela sabia com quem lidava.

– Tem noção. No fundo tem noção. – Voltávamos ao tema da manipulação.

– E mesmo assim se deixa…?

– Refletir sobre isso toma espaço no cérebro. Por que usar esse espaço com um exercício cerebral se nós estamos entregando tudo pronto na internet? A mensagem pronta para o cara entender do seu jeito e passar adiante. A culpa é do algoritmo? Da internet? Não. É do ser humano de "baixo penso", termo que inventei, que, acima de tudo, tem orgulho de ser assim. "Penso (pouco ou quase nada), logo existo" é a tradução dessa turma mediana de que estamos falando. Pobre do Descartes. *Je pense, donc je suis*, o coitado acreditava que a dúvida o levaria ao conhecimento. E estava certíssimo, só não avisaram para os descerebrados de hoje.

– Seus clientes.

– Meus queridos clientes que acreditam nas merdas que eu crio, por mais absurdas que sejam.

Débora largou a taça de vinho no chão, sentou sobre mim na *chaise lounge* que me abrigava e colou seu corpo contra o meu.

– Pobre Descartes…

– Pobre dos que não entendem que a dúvida é a única coisa que nos mantém intelectualmente vivos.

Ela me beijou, e eu sentia que sua temperatura corporal era algo muito além do que um termômetro de mercúrio poderia marcar. Foda-se o mercúrio. Valia para mim a transpiração da pele que exalava uma bruma cálida de prazer e sensações inimagináveis.

– Se a dúvida é o que nos mantém vivos, me fale sobre quem você realmente é.

Essa provocação veio no exato momento em que consegui, como com uma lente macro, ver seus poucos pelos do braço na forma de setas silhuetadas contra a metrópole. Como era bom ter dúvidas, mas agora eu precisava falar, e não era para um descerebrado. Teria que falar.

CAPÍTULO 27

VIRANDO DO AVESSO

A situação na Analytica desandava nos Estados Unidos, chegando ao fechamento da empresa. Processos e muita roupa imunda sendo lavada em público, mas eu estava agora em outro patamar. Que eles se ferrassem, pois eu já era uma entidade própria que não dependia mais daquilo. Alcei meu voo, ganhei a independência financeira e mandei os cretinos se ferrarem porque ali havia muitos esqueletos em muitos armários. Minha vida não está fácil, como vocês podem ver, mas não estou enrolado no processo que envolve a Analytica. Não estou sendo ingrato ao dizer isso porque sei que, como muito recebi deles, também muito dei a eles.

Para responder à Débora, eu precisava voltar um pouco mais no tempo.

Minha vida de marqueteiro político veio por acidente. Eu era um estudioso da propaganda, do marketing, e sonhava em ter minha própria agência de propaganda na Filadélfia, onde morava com minha família. Era também um ativista de causas que eu julgava as "minhas causas", que nem de longe eram ligadas à direita ou extrema direita, como passei a trabalhar. Eu tinha ódio daquela gente. Tinha ódio dos ideais do Tea Party e aqueles Republicanos com cheiro de mofo e cara de museu de cera, sempre prontos para inventar um novo conflito para vender seus equipamentos de guerra.

Eu queria ter a minha empresa, trabalhar para grandes marcas, usar a minha criatividade estratégica para ganhar prêmios e ter meu talento reconhecido. Casei, tive um filho e uma filha, e batalhava muito em busca da possibilidade de mostrar meu talento. Mas os projetos não davam certo. Minhas tacadas nunca eram certeiras, e eu afundava cada vez mais. Fazia trabalhos medíocres para ter algum dinheiro para pagar escola, saúde, hipoteca, carro, o dia a dia. Meu casamento nunca foi lá essas coisas; confesso que no início até era, mas depois tudo se confundiu e afundou no mar da derrota.

A dificuldade com a falta de possibilidade de construir um sonho, ver minha linha de esperança desaparecendo, tudo se somava e tornava a existência sufocante.

Vieram os anos, os trinta anos, os 35 anos, os filhos crescendo (sim, comecei cedo), e eu me tornando um cara amargo, chato, seco, nem de longe um traço daquilo que eu tinha certeza de que seria. Eu e minha mulher morávamos na mesma casa por dois motivos: os filhos e as finanças. Não era razoável dividir a miséria naquele momento. Profissionalmente eu me tornava cada vez mais um medíocre de um publicitário que vagava entre empregos cada vez menores, com trabalhos em que o sucesso era criar um folheto de ofertas para o supermercado do bairro. Essa era minha vida na Filadélfia. Não havia espaço para a criatividade que eu ainda desconfiava que tinha.

Aí então veio a crise de 2008, que eu acabei citando como exemplo para minha equipe aqui em Vera Cruz, como se fosse hipotético, mas era uma citação pessoal mesmo. No meu caso, agravada ainda, porque meu drama foi do mais pesado para o muito pesado.

Como tantos, perdemos a casa, e minha mulher disse que já tinha passado por situações negativas demais para continuarmos com a aparência de um casal. Foi aí que descobrimos que nossa filha, então com dezoito anos, estava consumindo drogas pesadas. A culpa por não ter percebido antes foi jogada de ambas as partes. Tudo que não se deve fazer. Éramos mesmo culpados, mas o que estava péssimo ficou péssimo ao quadrado. Estava sem dinheiro, sem emprego, com minha mulher morando de favor na casa dos pais, com meu filho adolescente ignorando que eu existia (e me culpando por ter que morar na casa da avó), e o pior, minha filha mergulhando cada vez mais no mundo sem volta das drogas pesadas.

Então ela sumiu. Minha filha sumiu de todos os nossos radares. Desapareceu sem deixar pistas.

Minha vida passou a ser procurá-la. Foram quatro meses, praticamente em estado de mendicância, mas meu foco era encontrá-la. Encontrei. Em Camden, Nova Jersey. Uma das cidades mais violentas do país. Ela foi ao encontro das drogas (lá era o paraíso para isso) e estava se prostituindo em lugares inimagináveis. A *minha menina* havia chegado a um limite sub-humano. Foram três dias tentando resgatá-la. Eu sentia que ela queria, que precisava de mim, da mãe, do irmão, mas ela sabia que nossa vida havia se destroçado. Não havíamos tido estrutura familiar para enfrentar a tempestade que se abateu sobre nós, e ela se sentia como um peso, o fardo que a "ex-família" teria que carregar.

A confusão, logicamente, era acrescida pelo envolvimento com as drogas. Até hoje, todas as noites, quando me deito, infelizmente me vem à cabeça a imagem dos braços dela. Os hematomas, as marcas das picadas se misturando com as marcas de agressões de "clientes" escrotos, párias da humanidade, filhos da puta que não deveriam estar vivos. Eu olhei mais de uma vez para aqueles braços que ainda pareciam de criança, da *minha criança* que não existia mais. Descobri que ela se prostituía por comida e droga, muita droga. Fiquei os três dias rondando, não a perdendo de vista. Vi situações intraduzíveis. Inumanas. Vi, senti, mas falhei. Por um momento a perdi de vista. Quisera que ela tivesse sumido. Fugido para outra cidade que eu pudesse ir atrás e descobrir onde estava, mas não. Ela mergulhou nas águas do rio Delaware. Saltou da Benjamin Franklin Bridge.

O corpo foi encontrado dois dias depois. Eu havia falhado. Minha ex-mulher sabia disso. Meu filho sabia disso. Eu não era mais ninguém. Estamos falando de 2009.

Quando surgiu o convite para me envolver em uma campanha política na África, em um país onde minas terrestres estavam ainda por toda a parte (sobras da guerra recente), e justamente por esses fatores ninguém queria ir, eu só pensei em duas coisas: o dinheiro (eu não tinha nada havia muito tempo) e ficar longe. Longe de tudo e de todos. Se alguma mina explodisse sob meus pés, seria somente um fator a mais na minha vida.

Então, ali, longe, descobri que meu talento desaparecido resistia ainda em alguma parte do meu cérebro. Ganhei dinheiro e a eleição. Eu tinha encontrado duas soluções: não precisar conviver com meu passado e não ter tempo de conviver comigo mesmo.

Era muito trabalho, como é sempre em uma campanha política, mas eu descobrira um caminho para sobreviver e um jeito de suportar a dor. Quanto mais eu trabalhava, mais dinheiro ganhava e comprovava meu talento. Assim, passei a trabalhar e trabalhar. Fui subindo. Fui virando essencial para o novo tipo de campanhas que surgiam, baseadas nas fake news que passavam a ser ferramentas úteis, muito úteis. Vi ali um filão. Estudei, pratiquei e parti para ser alguém. Fui mudando de país em país, de eleição em eleição.

Meu passado? Meu filho não fala comigo até hoje, minha ex--mulher não quer aceitar sequer o dinheiro que tento enviar a ela.

Tento deletar, pelo menos momentaneamente, esse tempo que vivi, mas parece que não vivi. Sou um ser sozinho que tem muita grana, mas não tem ideia ainda do que vai fazer com todo esse dinheiro. Vai chegar essa hora. Talvez quando minha mente conseguir deletar imagens que me incomodam, que me atormentam. Depois de observar aqueles braços esquálidos da minha filha, momentos antes de se jogar da ponte, nenhuma imagem me assusta. É como se, secretamente, eu agisse por ódio.

Meu ódio do mundo eu traduzo em notícias falsas que alimentam campanhas odiosas de gente que não passou pelo que eu passei, e por isso estão ali para serem votados por pessoas que não se importam com os crápulas que escolhem.

Sim, estou exagerando na raiva, mas não fui eu quem inventou esse mundo. Sou um operário. Um trabalhador que precisa trabalhar para não pensar na própria vida.

Durante toda minha explanação, eu não olhei uma vez para Débora. Fiz meu monólogo olhando para a metrópole gigante à minha frente. Agora tive coragem de virar o rosto e ver as lágrimas que escorriam no rosto dela. Por que fiz isso? Essa mulher não merecia ouvir essa história. Eu era realmente alguém sozinho e que servia para estragar a vida dos outros com a minha solidão contagiosa. Débora me abraçou e aí senti que, durasse quanto fosse aquele tempo com ela, não importava. O que valia para mim é que era o primeiro abraço que eu recebia em muitos anos.

CAPÍTULO 28

TOCANDO A CAMPANHA EM FRENTE

As semanas passavam. A total indisciplina do Candidato e dos filhos era algo que beirava ao surreal, mas eles acabavam dando certo na análise deles, é lógico.

A candidatura andava, mas não estava no ponto que eu imaginava e, sem querer tirar minha responsabilidade da reta, ela até estava muito bem em função da quantidade de erros cometidos pelo próprio Candidato. Cada participação dele em uma entrevista, cada fala em público, era um desastre.

Lara só me mandava emojis expressando a incredulidade diante do absurdo dito ao público. Eu tinha em meus estudos que muito daquilo acabava funcionando. Era o tal "Esse é como nós!".

183

O PAI DAS FAKE NEWS

Ele se superava em falas homofóbicas e piadas desastrosas, algo que faria o Trump parecer um verdadeiro aprendiz.

Eu tinha dados, mas não tinha certezas. O que eu sabia era que a população média de Vera Cruz, com ódio do partido que dominou o país nos anos anteriores, tapava o nariz e buscava justificativas para conduzir aquele homem para ser sua liderança nos quatro anos seguintes.

O que nós fazíamos com maestria era reeditar entrevistas do nosso adversário e mudar completamente o sentido. Isso ia para os robôs mesclados com pessoas (uma ação híbrida para não deixar pistas), que disparavam em massa e depois viravam orgânicos, repassados por habitantes do país inteiro.

Também fazíamos edições para melhorar a fala do nosso candidato, para parecer mais conectado com a realidade, dar algum ar de estadista. Pois acreditem! Até nisso fomos criticados pelo núcleo "duro" que envolvia os filhos, o Mestre e agora o Ken. Sim, ele mesmo. Rompeu comigo ao descobrir sobre minha relação com a filha.

– Você me traiu.

Essa fala não se referia a um casal de adolescentes, mas a um homem na casa dos cinquenta anos e uma mulher por volta dos quarenta. Mesmo assim o Ken fez uma cena digna de quem defendia uma debutante dos anos de 1920.

Eu olhava para aquele homem reclamando que "desrespeitei a sua casa" e me perguntava sobre o mundo que existia realmente ao meu redor em Vera Cruz. Ele não podia estar acreditando no que falava. Débora era uma mulher que já foi casada, teve seus, sabe lá quantos, namorados, dona do seu nariz, da sua liberdade financeira e da capacidade de inovação da mofada empresa da família, e mesmo assim o Ken nos tratava como dois adolescentes.

Confesso que senti certa nostalgia daqueles tempos idos, mas também fiz um esforço para não entrar no perigoso caminho da lembrança da minha filha, que não teve um mínimo de reação paternal a nenhuma das suas atitudes adolescentes e, não por isso, mas também por isso, não conseguiu segurar sua cabeça tão jovem. Não, eu não iria misturar algo tão patético como o que eu estava vivendo com algo tão profundo como o que eu vivi.

Resumo de toda essa ópera bufa é que o Ken percebeu que eu não o levava a sério (e quem levaria nessa situação?) e rompeu definitivamente comigo. Agora era eu, o doido do Torre e um pequeno grupo de empresários que apoiavam a nossa estratégia.

Na verdade, estava eu pela borda do precipício, a caminho do abismo de olhos vendados. Com ajuda do Ken e do núcleo duro, eu já não parecia mais necessário. Talvez o que me segurasse fosse o fato de a minha conta no Panamá (e os outros paraísos) terem já sido regadas com 80% do meu contrato. Sim, o que aprendi mais rápido nessa área foi a receber o máximo o quanto antes. O "depois" não existe para essa gente. Todos são acometidos de uma amnésia financeira que já faz parte do jogo, então eu não queria perder nada, portanto recebi quase tudo antes.

O Mestre era um pavão que se arvorava cada vez mais, se deleitando do seu poder com a família e o Candidato, e me cobrava o seu 1%. Obviamente, eu tinha muitas e muitas vezes mais na conta, mas fazia questão de mantê-lo preso a esse ínfimo percentual. Ele era meu dependente por algo tão pequeno. Não pagava. Ele cobrava, e eu dava uma explicação. Ele não podia explodir porque o 1% era um acordo de "cavalheiros" (com o perdão do uso da expressão para algo tão baixo, mas era). Assim, eu não pagava, e ele implorava por 1%. Melhor resumo para esse teatro do absurdo montado ao redor dessa campanha em Vera Cruz.

O adversário passou semanas explicando que não tinha nada de incentivo à homossexualidade em uma cartilha apoiada por ele quando participou do governo. Ele explicava, mas metade da população de Vera Cruz, sem nunca ter sequer visto de longe a tal cartilha, se escandalizava. Era o candidato adversário incentivando crianças a serem gays. Isso pegava e era ideia do "núcleo duro". Quando a baixaria envolvia sexualidade, sempre vinha deles. Não precisava procurar.

Outro dado interessante era que Vera Cruz detestava ONGs. Lógico que isso era um pouco associado ao negacionismo científico, artístico, cultural reinante no lugar, mas se você queria agradar a uma grande parcela dos persuasíveis, o caminho era falar mal de uma ONG.

Havia sido plantado um ódio contra essas categorias citadas antes, algo a ser estudado em particular. Os artistas eram considerados seres parasitas que viviam do dinheiro regado pelos cofres do governo atual. O tema era tão forte que, de início, acreditei.

Aos poucos fui ligando A com B e vendo que não era bem assim. Se havia uma pequena parte envolvida em ilegalidades, ela era bem menor do que a penca de ilegalidades cometidas diariamente nas estruturas da administração do país, mas justamente a arte e a cultura (e a ciência) eram as vilãs porque atingiam aqueles que não entendiam para que aquilo servia. Os medianos de Vera Cruz, os crentes nas teorias conspiratórias, viam nesses segmentos a antítese do que eram em suas vidas.

A poesia não põe pão na mesa. Um filme serve para enriquecer os produtores. Essas máximas se transmitiam como um vírus descontrolado entre o raciocínio mediano dos nossos persuasíveis.

Eu, que corri o mundo, entendia perfeitamente que países se transformaram (para muito melhor), evoluíram, investindo justamente naquilo que os persuasíveis negavam. Nosso candidato era o que mais negava porque não entendia, e para ele tudo o que ele não entende não é algo para buscar uma compreensão, um aprendizado; é algo para ser esculachado, destruído. Esse pensamento médio de Vera Cruz era dominante e ganhava espaço quanto mais nos aproximávamos da eleição.

Mesmo com os desvarios dos filhos, do Candidato e do núcleo duro, eu acreditava que talvez fosse possível ganhar aquela eleição, tal era o estado de inanição mental da média dos habitantes de Vera Cruz, mas o que me preocupava realmente, o que ficava cada vez mais claro, era que nosso candidato exporia sua limitação. Essa exposição seria compreensível até para o mais persuasível dos persuasíveis.

Não havia mais como fugir dos debates na televisão, e eles eram terríveis para ele. O Candidato ficava nu diante da neces-

O PAI DAS FAKE NEWS

sidade de conectar uma ideia com a outra e dizer algo que fizesse sentido além das fake news.

Tudo caminhava para o desastre quando veio o "incidente". Sim, assim irei me referir a um dos acontecimentos mais proibitivos de serem falados neste livro. O "incidente" foi o pulo de todos os gatos juntos rumo à vitória.

CAPÍTULO 29

O "INCIDENTE"

Neste livro estou aprendendo "a arte de não escrever", melhor, "a arte de não dizer" aquilo que está na minha memória, na minha cabeça, na minha respiração – sim, porque respiro informações, e elas precisam, necessariamente (no meu caso aqui), ficar trancafiadas em algum ponto da minha mente.

Informações trancafiadas perturbam, doem, causam um alvoroço permanente, mas e daí? Acordo é acordo. Não fiz esse acordo por medo dos filhos, do Mestre ou de seus seguidores, mas porque não tenho coragem suficiente para perceber que já tenho grana suficiente para ser livre. Ao contrário, me sinto como alguém em plena colheita e que precisa esticar essa colheita ao máximo possível.

Minha área é extremamente sensível, e um cara que deixa seu ego entregar todo o ouro em troca de leitores de seu livro é um ex nesse mundo do marketing político.

O PAI DAS FAKE NEWS

Não se trata de confiança, pois essa palavra é a mais dita e a mais sem sentido em uma campanha política, mas se trata de mercado de trabalho mesmo. O mercado exclui quem entrega o jogo. Você pode se perguntar: "Mas ele entregou tudo que fizeram em Vera Cruz?". Minha resposta: primeiro que não entreguei tudo (minha limitação com o "incidente" é uma prova) e segundo que ninguém poderá ser processado (a começar por mim) com base no que escrevi. Quem chegar a Vera Cruz irá reconhecer a grande maioria dos meus personagens, mas eles são personagens de uma "ficção". Lembram-se disso? Eu afirmo, no início desta história, que ela é uma ficção, portanto sem nomes reais. E com a afirmativa de que se trata de uma ficção, nada pode ser feito em um tribunal. Imaginem o advogado dizendo: "Ele disse isso!". E eu respondendo: "Disse o quê? O doutor não conhece o significado da palavra 'ficção'?". Aí o advogado replica: "Então o senhor afirma que é tudo mentira?". Minha resposta será: "Não afirmo nada, pois já afirmei anteriormente que é tudo ficção". E assim um hipotético julgamento se estenderia sem fim e sem culpa comprovada. No fundo, vamos combinar: a editora não é boba, eu não sou bobo. O que ganharíamos fazendo um "documento histórico" que seria chamado de mentiroso por todos os seguidores do Candidato e da sua família e ainda iria causar mil problemas para mim, para a editora, para a justiça de Vera Cruz etc.?

Pensei até em lançar este livro só nos Estados Unidos, mas aí ficaria uma história tão distante (apesar de a realidade lá não ser diferente da que descrevo aqui), que decidi aceitar os acordos e seguir em frente. O editor está contente (pelo menos é o que ele diz), e o livro está salvo.

Fiz essa longa argumentação porque o tema do "incidente" (vou parar de colocar entre aspas porque existem aspas demais neste livro) era algo que não podia ser narrado e, como disse, o ato de não escrever dá mais trabalho do que o de escrever.

A situação que vivíamos era a que relatei: tínhamos convicção de que o Candidato, com sua total "falta de capacidade de argumentação", iria afundar em debates e entrevistas. Ele se saía cada vez pior, e o motivo era realmente a sua sinceridade.

Tudo o que nós conseguíamos montar de positivo sobre a imagem dele desabava quando ele abria a boca e contava uma piada, falava sobre um ponto de vista que tinha em relação à humanidade; qualquer coisa em que ele demonstrava ser ele mesmo nos ferrava.

Eu sempre pensava, em meio a uma crise e outra de raiva por ter entrado na fronteira desse país, que o cara não poderia ser acusado de ter enganado ninguém. Ele era aquilo mesmo e, se Vera Cruz o queria, maravilhoso, era a honestidade que não existia em política se materializando ali na minha frente. Mas quantos seres humanos queriam alguém como o Candidato em Vera Cruz? No mundo? Quantos se guiaram pela utilização das minhas ferramentas? Quantos foram pelas baixarias do Zangado? Eu nunca saberia disso, mas o que tinha em mente era pegar o primeiro voo após as eleições e nunca mais voltar. Ah, e dar os créditos para o Zangado, pois a dúvida sobre quem fez o que o favorecia.

O PAI DAS FAKE NEWS

Pois o incidente, agora sem aspas, o fato inominável que pertence somente à história de Vera Cruz, aconteceu e tirou nosso candidato de circulação. A circulação física, não a das redes sociais.

Tínhamos nas mãos o fato que tornava críveis todas as nossas conspirações. Tínhamos o trunfo da vitória entregue na bandeja dos fatos. O louco que tomou a decisão de cometer o que cometeu jamais saberá o quanto isso se transformou na tábua de salvação do nosso universo. Agora o Candidato era a vítima mais comentada por toda a gigante população de Vera Cruz.

Nossos dados indicaram sempre que os cidadãos de Vera Cruz amavam vítimas, pessoas injustiçadas, perseguidas (isso já usávamos há meses), mas um fato como esse era impensável na cabeça de qualquer estrategista. Eu tive um sobressalto quando Lara me ligou e contou o que havia acontecido. Isso minutos depois do fato.

– Vocês armaram isso?

Sim, só Lara faria essa pergunta, mas minha resposta pronta fez com ela tirasse quaisquer dúvidas que ela pudesse ter. Ninguém teria a genialidade de pensar nisso. Cheguei a perguntar ao Torre se poderia ter alguém nosso por trás disso, mas ele ficou realmente furioso. Tinha razão. Pouco depois, ele mesmo comemorava o fato.

As fake news transbordavam pelas redes sociais. Nós nos apressamos para dar o tom vitimista de que precisávamos.

Assim, o Candidato não precisou mais ir a debates, entrevistas, nada. Ele era uma vítima em um país que não aceitava a mudança "disso que está aí" e, por isso, tentava matar o herói. O povo agora tinha um herói. Tinha uma vítima para chamar de herói. Vera Cruz se via naquele personagem, e aí foi só manter o ritmo até chegar o dia da eleição. Muitos davam como certo que ganharíamos no primeiro turno.

A turma do núcleo duro jogou pesado. Estavam confiantes para jogar novas fake news.

Vídeos de manifestações antigas foram editados e lançados como se fossem o apoio de uma multidão ao nosso candidato. Artistas, religiosos, muitos apareciam em fotos com camisetas de apoio ao nosso candidato e, quando iam desmentir, o tempo já havia consumido sua verdade.

O povo queria ouvir o que ouviu, queria ver o que viu, e nós abastecíamos esse desejo. Desmentir um fato é sempre menos interessante do que a mentira, por isso ganhamos.

Faltava o segundo turno, e tivemos uma ação secreta interna que poderia nos destruir, em que tivemos que abafar uma denúncia contra um dos filhos, mas tínhamos amigos nas corporações, e o oponente tinha inimigos. A verdade foi subjugada como nunca.

Já não sabíamos mais o que era pós-verdade e o que era verdade. As fake news eram mais fáceis de serem reconhecidas por quem tinha dois neurônios, mas as minhas verdades eram obras de arte naqueles últimos dias.

As fake news do Zangado e seu grupo batiam nos hábitos morais. O adversário era pedófilo, a favor do aborto, ateu, a favor das causas LGBT, e assim seguia o nível em que eles cresceram e sabiam manusear.

O PAI DAS FAKE NEWS

Já eu, com minha velha campanha sobre a desconfiança no equipamento eletrônico de votação, ganhava cada vez mais adeptos, pois parecia uma notícia muito real para todos. Fazia sentido. A insegurança sobre valer ou não o voto pegava na veia de cada um.

O Candidato se elegeu no segundo turno. Tínhamos um novo presidente em Vera Cruz.

CAPÍTULO 30

A DÚVIDA SERÁ ETERNA

Durante o percurso até o aeroporto, eu fazia um exercício de eliminação mental. Pratiquei muito isso depois do fundo do poço a que cheguei. Isso garante a sanidade mental, o equilíbrio diante de uma vida tão árida que se apresenta a cada novo dia.

Existem os filhos da puta que agem com um prazer patológico de fazerem o que fazem, e existem os filhos da puta, como eu, que agem sabendo que são uns filhos da puta, mas não sentem prazer nisso.

Não me julgue. Não diga que você não é como eu, porque em algum momento você pode se sentir acuado e reagir de um jeito que não imaginava. Eu fui assim. Poderia ter saído disso? Poderia, mas o que é Vera Cruz para mim? Um país a mais no mapa do globo. Agora eu tinha um troféu a mais na minha estante.

O PAI DAS FAKE NEWS

Tinha ganhado uma eleição tão improvável como a do Trump e, por incrível que pareça, pelos mesmos motivos. Os intelectuais, os pensantes, os seres realmente interessantes não perceberam o furor que vinha do porão. Foi assim também no Brexit. É parte da história da humanidade. Há muito de soberba nisso. A esquerda de Vera Cruz não se uniu porque se achava superior aos fatos e às evidências, mas aí vieram os pós-fatos, a pós-verdade, e engoliram aquela soberba.

No momento, meu exercício era deletar pessoas como o Torre, o Ken, os "garotos sem limites", o Candidato, todos que me cercaram naquele tempo em que ali estive. O Mestre? Esse era o mais "deletável" de todos. Paguei o 1% para não ouvir mais aquela voz, para não ter mais contato com sua visão manipuladora, cheia de seguidores que acreditam cada vez mais nos seus absurdos. Longe dele! Esse era o mantra.

O que vai acontecer agora em Vera Cruz, eu não sei e não quero saber. Meu símbolo de liberdade era não ter nenhuma mala. Não levava nada dali além da vitória e das polpudas transferências bancárias.

Que influência terão no próximo governo aqueles seres que me cercaram o tempo todo? Imagina o Torre com canal direto com o presidente? Vai construir torres Eiffel por todo o país? E o Ken? Qual será a próxima plástica? Talvez uma para ficar parecido com o presidente. Sabe-se lá o que acontecerá com esse país. O importante para mim foi entrar na porta do avião, dobrar à esquerda (nenhuma conotação política) e me dirigir à primeira classe. Nunca mais classe econômica, dizia eu desde que descobri minha real carreira, meu real talento.

Sentei na minha poltrona, aceitei um cálice de vinho e brindei com Débora, sentada ao meu lado.

– Que país é esse que vocês construíram, Débora?

– Não sei, mas não vou estar aqui para ver no que ele vai se transformar.

O avião deslizou pela pista enquanto eu olhei para fora e vi as luzes de Vera Cruz ficando cada vez mais distantes. Minha cabeça não conseguia fugir de uma análise daquilo tudo. Que mundo era aquele? Que mundo é esse da pós-verdade?

O lodo da ignorância que rege a atração por notícias evidentemente falsas mora abaixo do nível da rua, mora no porão, no submundo. Sempre digo que a escada para o porão está presente o tempo todo em nossa vida, mas a decisão de descer a escada para esse mundo é de cada um.

Atribuir ingenuidade aos coitados que são atingidos por *links*, por notícias, por memes falsos, é relativizar a culpa de cada um. Não estou falando em Vera Cruz, mas no mundo.

Claro que Vera Cruz é, digamos, um país que funciona como uma "loja-conceito" desse processo todo. Se existe espaço para explorarmos o ressentimento, a paranoia, a inconformidade e transformarmos isso em pós-verdade, é porque uma imensa maioria de pessoas deixam suas vidas seguirem ao ritmo da falta de energia mínima, da falta de sabor, da falta de apetite por cidadania, por fazer algo relevante, e se transformam em pessoas pretensamente "boas", mas são, na verdade, os "perigosos", os que causam todo o estrago nessa nossa sociedade pós-tudo.

A culpa é dos medianos, dos que acreditam em calmaria permanente, dos cidadãos que evitam tomar posição, dos que se calam. Martin Luther King disse sabiamente: "A aceitação morna é muito mais desconcertante que a rejeição total".

O que fiz, confesso e relato. Não conto tudo porque não posso, mas o que aconteceu está aqui nestas páginas. Se você não acredita nesta versão dos fatos, conte a sua. Ela certamente será considerada verdadeira pelos seus simpatizantes e falsa pelos seus opositores. É sempre assim.

Agora me resta voltar e pensar nas futuras eleições nos Estados Unidos. Na real, ando meio preocupado com as chances do Trump. Não vai ser como em 2016. Sei lá, pode ser apenas um mau presságio, mas... Certo, não vou falar sobre isso agora.

Eu pensava em tudo isso e, ao mesmo tempo, no quanto não tenho certeza de que vou continuar fazendo essas merdas todas. Às vezes, tenho intenções de largar tudo e delatar toda essa podridão para as autoridades, mas o que eu ganharia com isso?

A escada para o porão estará lá sempre e não serei eu quem vai dizer para que não desçam. Haverá uma multidão descendo, e disso não vão poder me culpar.

EPÍLOGO

O editor, por motivos que nem quero saber, não lançou este livro no prazo combinado, e o texto ficou guardado por alguns anos. Vocês estão lendo somente agora, mas vejam que não precisei atualizar nada. Sabem por quê? Porque o mundo das fake news não retrocede. Ele não para. É um câncer que se espalha.

Nesse meio-tempo, eu tive percalços, como alguns dias atrás das grades, onde aproveitei para escrever este livro, mas a "família" de Vera Cruz não me deixou em paz. Eles seguiram minhas receitas e a aprimoraram, mas me deixem fazer um desabafo: são primários. Cometem erros infantis, e aí não tem quem ajude. Tiveram sorte em 2018, mas em 2022 a realidade foi mais forte, e eles voltaram para o lugar de sempre.

Acompanhei, aqui nos Estados Unidos, que tentaram repetir minha receita no Capitólio, prova de que não se informam por que o nosso pessoal acabou preso aqui, mas fizeram de maneira desastrosa. Não há como comentar o nível de quem estou me referindo. Vocês que leram o livro entendem do que estou falando.

Entre uma visitinha à prisão e a liberdade privando das benesses do dinheiro que arrecadei, sigo vivo e atuante. A semente do ódio na rede social está lançada e vai crescer. A rede social existe e existirá, então não sou o demônio da vez. O demônio está na sua vontade de clicar, de postar, de repassar, de ignorar a dúvida, porque você pode duvidar de tudo, menos da dúvida.

FIM.

FONTES DE PESQUISA

D'ANCONA, Matthew. **Pós-Verdade**: a nova guerra contra os fatos em tempos de fake news. Barueri: Faro Editorial, 2018.

KAISER, Brittany. **Manipulados**: como a Cambridge Analytica e o Facebook invadiram a privacidade de milhões e botaram a democracia em xeque. Rio de Janeiro: Harper Collins, 2019.

LEVITSKY, Steven; ZIBLATT, Daniel. **Como as democracias morrem**. Rio de Janeiro: Zahar, 2018.

MELLO, Patricia Campos. **A máquina do ódio**: notas de uma repórter sobre fake news e violência digital. São Paulo: Companhia das Letras, 2020.

SUMPTER, David. **Dominados pelos números**: do Facebook e Google às fake news – os algoritmos que controlam nossa vida. Rio de Janeiro: Bertrand Brasil, 2019.

Livros para mudar o mundo. O seu mundo.

Para conhecer os nossos próximos lançamentos
e títulos disponíveis, acesse:

🌐 www.**citadel**.com.br

f **/citadeleditora**

📷 **@citadeleditora**

🐦 **@citadeleditora**

▶ Citadel – Grupo Editorial

Para mais informações ou dúvidas sobre a obra,
entre em contato conosco por e-mail: